Éditrice : Caty Bérubé

Chef d'équipe production éditoriale : Crystel Jobin-Gagnon
Chef d'équipe production graphique : Marie-Christine Langlois
Coordonnatrice à la production : Marjorie Lajoie
Chargée de contenus : Geneviève Boisvert

Auteures : Josey Arsenault et Èvelyne Bourdua-Roy.
Chefs cuisiniers : Benoit Boudreau et Richard Houde.
Réviseures : Edmonde Barry, Marilou Cloutier et Corinne Dallain.
Assistante à la production : Nancy Morel
Conceptrices graphiques : Sonia Barbeau, Sheila Basque, Marie-Chloë G. Barrette,
Karyne Ouellet et Claudia Renaud.
Superviseure stylisme culinaire (par intérim) : Laurie Collin
Stylistes culinaires : Maude Grimard et Lauréanne Hallé.
Superviseure photo et stylisme : Marie-Ève Lévesque
Photographes : Mélanie Blais et Rémy Germain.
Photographe et vidéaste : Tony Davidson
Spécialiste en traitement d'images et calibration photo : Yves Vaillancourt
Collaborateurs : Jean-Christophe Blanchet, Pascal Cothet, Éric Dacier, Katerine
Doyon, Alexandre Gilbert et Jean-Daniel Lajoie.

Directeur de la distribution : Marcel Bernatchez
Distribution : Éditions Pratico-pratiques et Messageries ADP.

Dépôt légal : 1er trimestre 2019
Bibliothèque et Archives nationales du Québec
Bibliothèque et Archives Canada
ISBN 9782896588534

Gouvernement du Québec - Programme de crédit d'impôt
pour l'édition de livres - Gestion SODEC

1685, boulevard Talbot, Québec (QC) G2N 0C6
Tél. : 418 877-0259
Sans frais : 1 866 882-0091
Téléc. : 418 780-1716
www.pratico-pratiques.com

Commentaires et suggestions : info@pratico-pratiques.com

PERDRE DU POIDS EN MANGEANT DU GRAS

DU GRAS

TOME 2

Le céto au quotidien

PERDRE DU POIDS EN MANGEANT DU GRAS

DU GRAS

TOME 2

Le céto au quotidien

Table des matières

Un vent de CHANGEMENT

Il y a un an déjà, quand j'ai écrit le tome 1 de *Perdre du poids en mangeant du gras*, peu de gens au Québec connaissaient l'alimentation faible en glucides, l'alimentation cétogène et le jeûne intermittent. Aujourd'hui, les personnes qui ont adopté ce mode de vie se comptent par milliers et les médecins et autres professionnels de la santé qui en parlent à leurs patients et clients se comptent par douzaines dans notre province et par centaines dans tout le pays.

Presque chaque jour, je vois en clinique au moins un patient en suivi qui a changé son alimentation et qui va mieux – vraiment mieux. Ces patients, généralement, entrent dans mon bureau en souriant et ont tendance à vouloir me montrer leur nombril: «Regardez, docteure, comment mes pantalons sont rendus "lousses"!», disent-ils en tenant la boucle de leur ceinture d'une main. Et moi de répondre, souvent: «J'ai vu vos prises de sang, va falloir réduire vos médicaments… encore!».

Je dis fréquemment à mes patients que je ne leur propose pas un «régime amaigrissant», mais bien une option thérapeutique qui vise l'amélioration de leur santé métabolique. La santé métabolique, selon moi, comprend une composition corporelle saine (et non juste un «poids santé» sur la balance), des prises de sang optimales (cholestérol, inflammation, insulinémie, acide urique, enzymes hépatiques, etc.), un foie qui n'est pas gras, une belle énergie qui est stable et adéquate, de la clarté mentale, un bien-être mental et des paramètres biologiques normaux, comme la tension artérielle et la glycémie.

Presque chaque jour, également, un collègue d'ici ou d'ailleurs dans le monde écrit sur les réseaux sociaux qu'elle ou il vient de cesser l'insuline chez un diabétique de type 2, qu'une patiente a pu réduire ses analgésiques pour sa fibromyalgie, qu'un hypotenseur a pu être arrêté chez un patient, qu'une amputation

d'orteil a pu être évitée, etc. Le nombre de professionnels de la santé qui offrent l'alimentation faible en glucides et le jeûne intermittent comme options thérapeutiques à leurs patients semble suivre une courbe exponentielle partout dans le monde.

Je ne me lasse jamais de voir des patients aller mieux tout en ayant besoin de moins de pilules, ni de voir des photos avant-après de gens qui ont perdu du poids, ni de lire les témoignages de personnes qui ont amélioré leur qualité de vie en réduisant ou en éliminant certains symptômes ou problèmes de santé. Je ne me lasse également jamais de lire entre les lignes et de voir dans leur regard qu'ils ont repris confiance en leur capacité à améliorer eux-mêmes leur santé actuelle et future, et que les résultats qu'ils obtiennent les motivent et les encouragent à continuer.

Je tiens à préciser, par contre, que je ne veux pas laisser sous-entendre que l'alimentation faible en glucides, l'alimentation cétogène et le jeûne intermittent conviennent à tous et que tous vont obtenir des résultats extraordinaires. Aucun traitement, qu'il soit pharmacologique ou nutritionnel, de médecine complémentaire ou autre, ne convient à tous ni ne donne les résultats escomptés chez tous.

L'alimentation, cependant, est à la base de la santé et ne comporte pas d'effets secondaires irréversibles, contrairement à certaines chirurgies, ni d'effets secondaires dangereux, contrairement à certains médicaments. Alors, avec l'avis et le suivi de votre médecin ou professionnel de la santé, pourquoi ne pas en faire l'essai?

Tout commence par un choix…

Dre Èvelyne Bourdua-Roy

10

Se régaler
SANS CULPABILITÉ

Un an déjà que notre premier livre a vu le jour ! Presque deux ans depuis que j'ai totalement changé mes habitudes alimentaires et adopté l'alimentation cétogène !

Je suis plus en forme que jamais et surtout, mince comme je ne l'ai jamais été ! Du moins depuis mes 20 dernières années ! Je n'ai pas terminé ma transformation, mais je suis vraiment très heureuse du chemin parcouru.

Ce qui me fascine et me rend tellement heureuse avec le cétogène, c'est que je n'ai jamais l'impression de me priver. Je mange à ma faim, je cuisine des mets incroyables et en plus, je perds du poids !

Lorsque j'ai commencé, je me rappelle avoir dû plonger tête première et faire fi des commentaires des gens qui s'inquiétaient pour moi de me voir manger aussi gras. La plupart sont maintenant rendus cétogènes !

Je dois vous dire que j'ai franchi cette année une autre étape. J'ai commencé à faire des jeûnes intermittents, des 24 heures et même des 48 heures, en suivant des protocoles éprouvés par des spécialistes, dont le Dr Jason Fung. Le jeûne est une méthode vraiment efficace, entre autres pour briser des plateaux. Non seulement la méthode a bien fonctionné, mais j'ai aussi remarqué que j'avais encore plus d'énergie et de clarté d'esprit !

Dans ce tome 2, je vous offre, en toute humilité, des recettes et idées de repas à moins de 10 g de glucides nets que j'ai testées pour vous avec un grand plaisir gourmand. Régalez-vous sans culpabilité !

Josey Arsenault

PERDRE DU POIDS
EN MANGEANT DU GRAS : TOME 1

Voici la liste des sujets qui sont abordés dans le tome 1.
N'hésitez pas à vous y référer pour compléter les notions
qui sont explorées dans le présent tome. Les deux tomes
se veulent complémentaires.

- L'alimentation faible en glucides et l'alimentation cétogène : définitions

- Le grand ménage du garde-manger : ce qu'il faut maintenant éviter, réduire ou privilégier

- Trucs et astuces pour se faciliter la vie

- Comment planifier les repas à l'extérieur

- Les macronutriments

- Comment mesurer les macronutriments : quelles proportions et quelles quantités

- Libéral versus cétogène : comment choisir ?

- L'interprétation du tableau de valeurs nutritives et des étiquettes

- La période d'adaptation

- Comment mesurer le taux de corps cétoniques

- La physiologie humaine : le corps est un foyer

- Les gras : les bons, les moins bons et les mauvais

- Les glucides : les bons, les moins bons et les mauvais

- L'insuline, l'hyperinsulinémie et la résistance à l'insuline

- Manger moins et bouger plus : pourquoi cela ne fonctionne pas toujours ?

- Problèmes et solutions courants

- Les mythes

Qu'est-ce que l'alimentation
FAIBLE EN GLUCIDES ET CÉTOGÈNE ?

L'alimentation faible en glucides correspond à toute alimentation qui contient 100 grammes et moins de glucides nets par jour. Elle se distingue de l'alimentation standard nord-américaine, qui contient généralement 300 grammes et plus de glucides par jour.

L'alimentation cétogène fait partie de la famille des alimentations faibles en glucides. C'est la version stricte, qui contient habituellement 20 grammes et moins de glucides nets par jour. C'est une alimentation qui a plusieurs avantages pour la santé et qui était reconnue, jadis, comme traitement contre l'épilepsie et contre le diabète de type 2, avant la découverte des antiépileptiques et de l'insuline exogène.

L'alimentation faible en glucides et l'alimentation cétogène sont caractérisées par une réduction des glucides consommés quotidiennement et par l'augmentation des apports en lipides pour combler les besoins énergétiques. En effet, les glucides et les lipides sont les deux principales sources d'énergie du corps humain. Ce dernier peut utiliser l'une ou l'autre de ces sources, ou les deux au besoin.

Ces alimentations visent également à réduire le plus possible les aliments raffinés et ultraraffinés, de même que les huiles trop riches en oméga-6 (en raison de leurs propriétés pro-inflammatoires). Elles privilégient les aliments les plus naturels possible, ceux qui sont consommés par l'être humain depuis la nuit des temps, comme des poissons gras, de la viande et sa graisse, des fruits (en petites quantités), des légumes, des noix, des graines, des produits laitiers, des olives et de l'huile d'olive.

L'alimentation faible en glucides et l'alimentation cétogène peuvent donc se combiner avec diverses préférences ou restrictions alimentaires. On peut être céto-végétarien, céto-végane, céto-méditerranéen, céto-pesco-ovo-lacto-végétarien, céto sans noix, céto sans produits laitiers, etc. L'important est de consommer des glucides de bonne qualité (non raffinés) en plus petites quantités et de bons gras naturels, et d'avoir des apports adéquats en protéines de qualité.

Il est important de souligner le fait que la plupart des gens, en français comme en anglais, utilisent le mot « céto » ou « keto » comme synonyme d'une alimentation plus faible en glucides que ce que prône le *Guide alimentaire canadien* ou la norme actuelle. Il est donc fréquent que l'on entende quelqu'un dire qu'il est ou qu'il mange « céto » quand, en réalité, cette personne consomme environ 100 grammes de glucides par jour, ce qui n'est pas cétogène à proprement parler, mais bien simplement faible en glucides.

Que sont les glucides nets ?

Ce sont les glucides obtenus après la soustraction des fibres. Voir le tome 1 pour plus de détails à ce sujet.

AVERTISSEMENT

Avant de faire tout changement significatif à votre alimentation, il convient d'en parler à votre médecin ou professionnel de la santé si vous avez des problèmes de santé ou prenez des médicaments afin de vous assurer qu'il n'y a pas de contre-indication. Si votre changement d'alimentation peut avoir un impact sur certains de vos médicaments, prévoyez les suivis nécessaires.

Comment manger cétogène ou faible en glucides ?

La méthode la plus simple pour adopter une alimentation cétogène, s'il n'y a pas de contre-indication médicale, se décline en trois étapes faciles :

1. **Se donner un «budget» approximatif de 20 grammes de glucides nets par jour à ne pas dépasser** (50 g si on préfère être modéré et 100 g si on opte pour le libéral). Les glucides proviendront principalement des légumes non racines, des petits fruits, des noix, des graines et des produits laitiers.

2. **S'assurer d'avoir des apports adéquats en protéines**, qui sont les matériaux de construction et de rénovation du corps (le nombre de grammes total par jour varie d'un individu à l'autre, selon l'âge, le sexe, les besoins en construction-rénovation, l'activité physique, etc.).

3. **Combler les besoins énergétiques avec des lipides de bonne qualité**. Chez la plupart des gens, on suggère de consommer juste assez de gras à chaque repas pour atteindre la satiété et se rendre au repas suivant sans avoir besoin de collation. Au repas suivant, si on a peu d'appétit, c'est sans doute que le repas précédent contenait trop de lipides. Au contraire, si on a besoin d'une collation entre les repas, même après la période d'adaptation, c'est que les apports en lipides n'étaient pas tout à fait suffisants au repas précédent.

→ Si on mange trop de lipides, on risque d'empêcher le corps d'aller puiser dans ses réserves de graisse, ce qui est un effet secondaire voulu chez la majorité des personnes qui adoptent une alimentation faible en glucides.

→ Si on ne mange pas assez de lipides, on risque de se retrouver en mode «famine», où le corps se sent privé et compense en réduisant son métabolisme basal, ce qui n'est absolument pas souhaitable. Si vous avez souvent faim ou froid, par exemple, et que vos apports en protéines sont adéquats, il est probable que vous ne mangiez pas assez de lipides.

Pourquoi manger céto ?

Tel qu'expliqué en détails dans le tome 1 de *Perdre du poids en mangeant du gras*, les glucides, l'un des trois macronutriments qui composent toute alimentation, sont constitués de molécules de sucre. Quand on mange des glucides, le pancréas doit sécréter de l'insuline (une hormone) pour gérer le sucre dans la circulation sanguine. Lorsqu'il y a trop de sucre, en quantité et en fréquence, l'insuline demeure continuellement présente dans la circulation et son taux finit par augmenter et demeurer augmenté. Cela s'appelle l'hyperinsulinémie. À la longue, l'hyperinsulinémie peut entraîner une résistance à l'insuline.

La résistance à l'insuline est associée à plusieurs problèmes de santé, dont le diabète de type 2, le syndrome métabolique, l'obésité, le syndrome des ovaires polykystiques, l'hypertension artérielle, la stéatose hépatique, la goutte, la douleur chronique, la fatigue chronique, l'inflammation, etc.

La plupart des gens qui adoptent une alimentation faible en glucides visent à renverser ou à prévenir une ou plusieurs maladies chroniques liées au style de vie. Plusieurs rapportent également d'autres bienfaits pour leur santé ou leur bien-être qui améliorent leur qualité de vie.

Parmi les bienfaits les plus souvent rapportés en clinique par les patients qui ont adopté une alimentation faible en glucides ou cétogène, citons :

- Meilleure énergie, plus stable tout au long de la journée
- Diminution des symptômes de fatigue chronique
- Clarté mentale (disparition du brouillard mental)
- Réduction ou disparition des migraines
- Réduction ou disparition des rages de sucre
- Réduction des pensées obsessives par rapport à la nourriture

- Meilleur sommeil
- Réduction de l'anxiété et de certains symptômes de dépression
- Amélioration des problèmes de peau (acné, eczéma, psoriasis)
- Diminution de la douleur (fibromyalgie, arthrose, etc.)
- Perte de poids
- Amélioration de la composition corporelle (diminution du taux de graisse corporelle avec préservation ou amélioration de la masse musculaire)
- Amélioration de la régularité du cycle menstruel (fertilité)
- Signaux de faim et de satiété plus clairs ; satiété qui dure plus longtemps entre les repas
- Capacité accrue à pratiquer le jeûne intermittent ou prolongé, pour des raisons thérapeutiques
- Etc.

Photos huile et protéines : Shutterstock.

Parmi les améliorations cliniques les plus souvent notées par les professionnels de la santé chez les patients qui adoptent une alimentation faible en glucides ou cétogène, citons :

- Amélioration de plusieurs marqueurs sanguins comme ALT, HDL, TG, hs-CRP, ferritine, acide urique, leucocytes, Apo B, Apo A, microalbuminurie, glycémie à jeun et HBA1c, insulinémie, etc.
- Amélioration ou renversement de la stéatose hépatique (foie gras)
- Diminution de l'hypertension artérielle (souvent au point où on doit réduire ou cesser certains médicaments hypotenseurs)
- Amélioration des glycémies (souvent au point où on doit réduire ou cesser certains médicaments hypoglycémiants)
- Diminution de la douleur chronique (souvent au point où on doit réduire ou cesser certains médicaments utilisés pour aider la gestion de la douleur au quotidien, analgésiques et autres)
- Une confiance accrue en leur propre capacité d'améliorer leur santé et l'envie de s'y investir (l'obtention de résultats améliore la motivation)
- Etc.

Est-ce soutenable à long terme ?

Si l'on retire de l'alimentation faible en glucides ou cétogène de nombreux bienfaits pour la santé et le bien-être global, et que l'on aime ce que l'on mange parce que c'est goûteux et rassasiant (comme le démontrent les recettes de ce livre !), pourquoi ne serait-ce pas soutenable à long terme ?

Il existe plusieurs alimentations saines et aucune ne peut se targuer de convenir à tous. Les études tendent à montrer que la meilleure alimentation santé est celle que les gens aiment et sont capables de soutenir à long terme. Et pour un nombre sans cesse croissant de personnes, celle qui est la plus appréciée est l'alimentation faible en glucides ou cétogène.

LE JEÛNE
INTERMITTENT

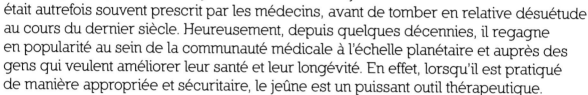

Le jeûne n'est pas une nouveauté scientifique. Les êtres humains pratiquent le jeûne depuis la nuit des temps et toutes les grandes religions soutiennent et encouragent le jeûne d'une façon ou d'une autre. Le jeûne était autrefois souvent prescrit par les médecins, avant de tomber en relative désuétude au cours du dernier siècle. Heureusement, depuis quelques décennies, il regagne en popularité au sein de la communauté médicale à l'échelle planétaire et auprès des gens qui veulent améliorer leur santé et leur longévité. En effet, lorsqu'il est pratiqué de manière appropriée et sécuritaire, le jeûne est un puissant outil thérapeutique.

Parmi les avantages du jeûne observés en clinique, mentionnons qu'il peut aider à :

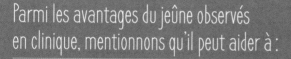

- Renverser le diabète de type 2

- Perdre du poids et maintenir un poids ainsi qu'une composition corporelle santé

- Renverser le foie gras, appelé « stéatose hépatique »

- Renverser le syndrome des ovaires polykystiques

- Améliorer les symptômes de l'apnée du sommeil

- Améliorer la tension artérielle

- Améliorer la sensibilité à l'insuline (renverser la résistance à l'insuline et à l'hyperinsulinémie)

- Améliorer l'énergie et la clarté mentale

Qui devrait éviter de jeûner ?

La plupart des personnes peuvent jeûner de manière intermittente sans problème. Les personnes suivantes devraient par contre éviter de le faire ou en discuter avec leur médecin :

- Femmes enceintes

- Femmes qui allaitent

- Enfants et adolescents de moins de 18 ans

- Personnes avec un problème de santé aigu, comme une pneumonie

- Personnes actuellement en investigation pour des problèmes de santé de cause inconnue

- Personnes en convalescence d'une chirurgie ou d'un événement médical majeur comme un infarctus

- Personnes prenant actuellement des antibiotiques

- Personnes souffrant d'anorexie

- Personnes devant prendre des médicaments avec des aliments ou des médicaments qui ont un impact sur la glycémie, par exemple de l'insuline

Pour en savoir davantage sur les bienfaits du jeûne intermittent et du jeûne prolongé, notamment sur l'autophagie et l'amélioration du métabolisme basal, nous vous suggérons fortement de lire *Le guide complet du jeûne* de Dʳ Jason Fung.

Comment jeûner

Si vous n'avez jamais tenté un jeûne ou si votre alimentation actuelle est plutôt basée sur les recommandations du *Guide alimentaire canadien*, la simple idée de sauter une collation ou un repas peut vous sembler intimidante, voire impossible. Nombre de personnes se sont habituées, au cours des dernières décennies, à manger plusieurs repas par jour avec des collations. On entend d'ailleurs souvent dire que la consommation de plusieurs petits repas par jour (déjeuner, collation, dîner, collation, souper, collation de fin de soirée) aide à activer le métabolisme. En réalité, chez la majorité des personnes, cela est nocif.

Il est vrai que la consommation de repas fréquents stimule le métabolisme, mais pas comme on le croyait à l'époque où cette mode a été lancée. Chaque fois qu'un repas est consommé, le corps doit, entre autres, sécréter de l'insuline pour gérer l'afflux de glucose. L'une des fonctions de l'insuline est de stimuler le stockage de la graisse. Comme bien des hormones du corps, l'insuline devrait être pulsatile, c'est-à-dire qu'elle ne devrait pas être sécrétée trop souvent ni en trop grandes quantités, mais plutôt par petites périodes espacées de pauses. Il doit y avoir un équilibre entre les moments où elle circule et les moments où elle est absente. Lorsque l'on mange cinq ou six repas par jour, l'insuline est constamment sécrétée et n'a pas le temps de baisser de la circulation sanguine. Le message du stockage de la graisse domine. Le métabolisme est donc stimulé à stocker la graisse et non à la brûler.

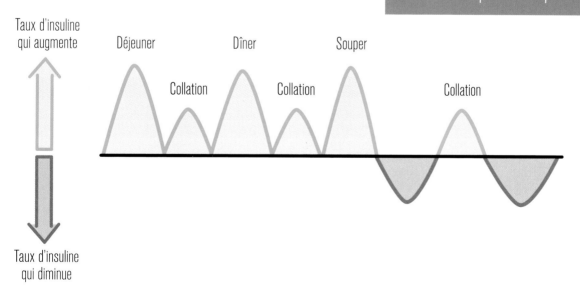

19

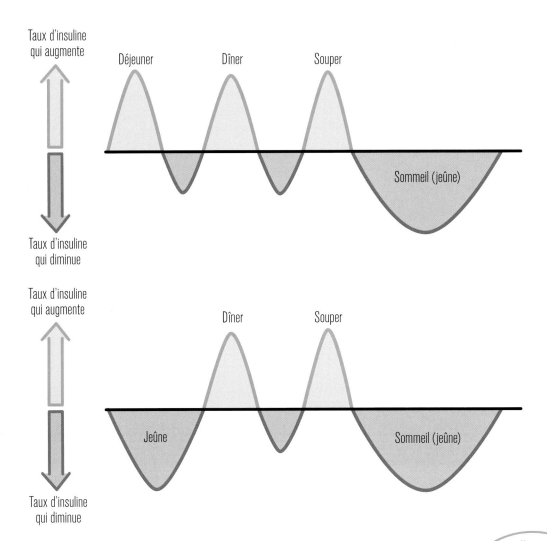

L'un des buts du jeûne est de permettre au taux d'insuline de redescendre dans la circulation sanguine. Lorsque l'insuline est basse, le corps peut se mettre à brûler la graisse, soit celle qui a été ingérée et celle qui est stockée dans le corps, dans les cellules adipeuses.

Lorsque l'on consomme régulièrement des glucides et que le principal carburant du corps est le glucose, il est normal que l'on ait de la difficulté à sauter un repas ou une collation. Lorsque l'on mange, le taux de sucre en circulation augmente, puis il redescend. Cette descente envoie un signal au cerveau lui indiquant que le corps va bientôt manquer de carburant. Le cerveau aimerait bien aller puiser dans les réserves de graisse du corps et s'en servir comme énergie, mais s'il y a trop d'insuline encore en circulation, l'accès aux réserves de graisse est bloqué. Le corps ne peut pas y puiser. Il envoie donc des signaux et des symptômes de faim, comme des gargouillements, une baisse d'énergie ou de capacité de concentration, et parfois

même de l'irritabilité, un petit mal de tête, etc. Le corps a besoin d'énergie tout en ayant une bonne quantité d'énergie stockée mais inaccessible. C'est hormonal.

Cependant, lorsque l'on consomme peu de glucides et que l'on évite les collations, avec le temps, il y a moins d'insuline en fréquence et en quantité dans la circulation, ce qui permet au corps d'aller puiser plus facilement dans ses réserves de graisse. Les personnes qui adoptent une alimentation faible en glucides ou cétogène sont souvent surprises de découvrir qu'elles peuvent soudainement sauter des repas spontanément, sans effort, ou se mettre à pratiquer assidûment le jeûne intermittent. Plusieurs rapportent qu'ils trouvent le jeûne très facile, malgré leurs craintes initiales.

Il est fortement recommandé d'avoir adopté une alimentation faible en glucides et d'être passé à travers le processus d'adaptation avant d'essayer le jeûne intermittent.

LES MYTHES

Réduction du métabolisme

Il ne faut pas confondre le jeûne et la réduction calorique.

Si une personne décide de perdre du poids en suivant les conseils standards, elle va réduire ses apports caloriques quotidiens et essayer de faire plus d'activité physique. C'est le bon vieux concept de « mange moins, bouge plus ». Les études sont presque unanimes sur le sujet : cette méthode a un taux

d'échec d'environ 99 % à long terme. Pourquoi ? Parce que la réduction calorique fonctionne pendant un certain temps, puis le corps s'adapte. Il comprend que l'on vient de réduire son budget, alors il ajuste ses dépenses à la baisse. Éventuellement, la perte de poids stagne et les kilos reviennent. On reprend tout le poids perdu et souvent davantage. On se blâme, on nous blâme. Pourtant, c'est simplement de la physiologie humaine.

Lorsque l'on jeûne de manière intermittente, par contre, c'est tout le contraire qui survient. Le corps se trouve alors en restriction calorique complète ou quasi complète, pendant quelques heures à quelques jours. Il y a moins d'insuline en circulation, et, donc, les réserves de graisse deviennent accessibles comme source d'énergie. Le glucose nécessaire à certaines cellules du corps humain est produit par le foie. Plutôt que de ralentir, le métabolisme, tel que démontré dans plusieurs études, augmente. En fait, il y a plusieurs changements hormonaux qui ont lieu pendant un jeûne qui ne peuvent pas avoir lieu pendant une période d'alimentation standard réduite en calories.

En mode réduction calorique, le corps s'attend à obtenir toute l'énergie dont il a besoin de la nourriture. En mode jeûne, le corps comprend qu'il doit obtenir son énergie de ses propres réserves de graisse et fait donc une bascule métabolique hormonale.

Fonte de la masse maigre

Imaginez que vous êtes un homme ou une femme des cavernes. L'été a été généreux, vous avez fait de petites réserves de graisse dans votre corps. Mais là, c'est l'hiver et vous n'avez plus de nourriture. Imaginez qu'il faille deux semaines avant de chasser une proie et de manger à nouveau. Qu'arriverait-il si votre corps décidait d'aller puiser son énergie directement dans vos muscles pendant deux semaines au lieu de brûler vos réserves de graisse ? Vous seriez de plus en plus faible et de moins en moins capable de fonctionner et d'aller chercher de la nourriture. Vous finiriez couché dans votre grotte, incapable de bouger, mais plein de réserves de graisse. Est-ce que cela vous semble logique d'un point de vue évolutif ?

L'être humain a évolué en développant la capacité de stocker de l'énergie et de puiser dans cette énergie au besoin pendant les périodes de rareté de nourriture, par exemple lors d'un hiver rigoureux ou d'une sécheresse. Une livre de graisse contient 3 500 calories. Si vous avez 50 livres de graisse stockées dans votre corps, vous avez 175 000 calories prêtes à être dépensées. À un taux moyen de 2 000 calories par jour, disons, cela donnerait de l'énergie pour environ 87 jours !

Lors d'un jeûne, la masse musculaire, grâce à des mécanismes de préservation médiés par des hormones, est préservée. Les protéines sont moins dégradées et davantage recyclées. La plupart des experts s'entendent pour dire qu'en deçà de trois jours de jeûne, il n'y a pas d'inquiétude à avoir concernant la masse musculaire. Au-delà de trois jours, cela peut dépendre du contexte de chacun et cela ne fait pas consensus actuellement.

Compensation calorique après le jeûne

On dit que si l'on saute ne serait-ce qu'un seul repas, on mangera deux fois plus aux repas suivants. Cela ne s'avère pas soutenu par les études sur le sujet. Il est possible que l'on mange un peu plus de calories aux repas suivants, mais c'est rarement suffisant pour compenser la totalité des calories qui n'ont pas été ingérées pendant le jeûne.

Avec le temps, la majorité des jeûneurs rapportent que leur appétit disparaît complètement pendant les jeûnes et qu'il demeure plus faible par la suite.

ATTENTION

Si vous souffrez d'un trouble du comportement alimentaire, il est possible que le fait de jeûner déclenche chez vous un comportement compensatoire d'hyperphagie après coup ou vous cause beaucoup d'anxiété et de stress. Si tel est le cas, il serait judicieux de consulter un professionnel de la santé formé en troubles du comportement alimentaire et de ne pas employer le jeûne comme outil thérapeutique pour l'instant.

LES RÈGLES D'OR
ET NOS MEILLEURS CONSEILS

La veille de votre jeûne, surtout dans les premiers temps, mangez un bon souper bien soutenant, avec un peu plus de lipides que d'habitude.

Buvez suffisamment d'eau pour demeurer bien hydraté pendant toute la durée du jeûne. Consommez aussi assez de sel pour demeurer bien hydraté. On suggère de 3 à 5 grammes de sodium par jour, et davantage si on boit beaucoup de café. Ce sodium peut être consommé plus facilement s'il est ajouté à du bouillon.

Au moment d'interrompre le jeûne, surtout s'il s'agit d'un jeûne plus long, prenez un plus petit repas que d'habitude, qui contient un peu moins de lipides. Mangez lentement, en pleine conscience, et écoutez les signaux de satiété que votre corps produira. Il vaut mieux cesser de manger lorsque la satiété se fait sentir que de continuer à manger juste parce que c'est bon et réconfortant et que vous le « méritez ». Le repas subséquent pourra être normal, c'est-à-dire comme vos autres repas faibles en glucides ou cétogènes.

Certaines personnes peuvent ne pas bien tolérer certains aliments après un jeûne, comme les œufs ou les noix, mais cela s'avère très variable d'une personne à l'autre. Il importe de faire ses propres expériences.

Soyez bien préparé : ayez du bouillon sous la main (voyez notre recette à la page 58 !) et gardez en tête vos objectifs.

Si vous faites un jeûne prolongé, habituellement de plus de cinq à sept jours, vous pourriez développer un syndrome de réalimentation, lequel peut être dangereux. Nous vous suggérons fortement de ne pas tenter un jeûne prolongé sans en parler d'abord à un professionnel de la santé qui s'y connaît.

LE SYNDROME DE RÉALIMENTATION (*refeeding syndrome*), aussi appelé «syndrome de renutrition» ou «syndrome de renutrition inappropriée», est une série de complications pouvant apparaître chez des personnes qui ont jeûné de manière prolongée et qui recommencent à s'alimenter. Il peut survenir un débalancement de certains électrolytes, comme le potassium, le phosphore et le magnésium, ce qui peut occasionner des symptômes cliniques pouvant être dangereux, comme une arythmie cardiaque ou des convulsions.

En tout temps, pendant un jeûne, il est primordial d'écouter et de respecter les signaux envoyés par le corps. Si vous ressentez de la fatigue ou un léger mal de tête, ou encore un peu de faim, essayez de prendre une petite quantité de sel avec un grand verre d'eau ou une boisson chaude, comme un café, et attendez une vingtaine de minutes. Si vous n'allez pas mieux après, ne vous entêtez pas à «réussir» votre jeûne : interrompez-le et reprenez-vous une autre fois. L'un des buts du jeûne est d'améliorer la santé et le bien-être du corps, pas de se punir ni d'atteindre un chiffre ou un nombre d'heures spécifique.

Le jeûne est comme un muscle : plus on l'exerce, plus cela devient facile.

Par ailleurs, ne vous sentez pas obligé de justifier votre choix de jeûner aux gens qui vous entourent, comme à vos collègues de travail. Jeûner est un choix personnel, que l'on décide de pratiquer pour des raisons personnelles qui ne regardent personne d'autre que nous. Malgré le fait que le jeûne est de plus en plus populaire, il demeure encore assez méconnu et de nombreux mythes l'entourent. Certains de vos proches pourraient s'inquiéter pour vous en apprenant que vous jeûnez. Vous n'êtes pas obligé d'en parler, surtout si vous n'avez pas envie de vous lancer dans une grosse discussion. Si possible, allez marcher le midi au bureau plutôt que de boire une tasse de bouillon pendant que vos collègues mangent leur lunch et vous regardent faire.

Si vous voulez jeûner à un moment où le reste de la famille mange un repas, vous pouvez vous servir du bouillon dans un bol, avec un peu de coriandre ou de persil finement haché, un trait de jus de citron et un soupçon de sauce piquante non sucrée, et le boire à la cuillère comme une soupe. Si vos jeunes enfants vous demandent pourquoi vous ne mangez pas, vous pouvez leur dire que vous n'avez pas très faim et que votre bol de bouillon fera parfaitement l'affaire. S'ils ont l'âge de comprendre, vous pouvez leur expliquer que vous avez décidé de renverser certains problèmes de santé qui s'étaient accumulés au fil des années parce que vous voulez faire partie de leur vie encore longtemps.

Si vous êtes inquiet d'avoir des carences en micronutriments (vitamines et minéraux), vous pouvez prendre une multivitamine de bonne qualité une ou deux fois par jour pendant vos jeûnes.

Photos assiette et pichet d'eau : Shutterstock

LES PROTOCOLES

Il existe plusieurs méthodes et protocoles de jeûne intermittent et prolongé. En voici quelques-uns.

Le 16:8

Il s'agit de jeûner pendant 16 heures et de manger deux repas dans une fenêtre de 8 heures, par période de 24 heures. On peut sauter le petit déjeuner ou le souper.

Exemple : la veille du jeûne, on soupe jusqu'à 19 h. En soirée, on boit de l'eau ou une tisane. Le lendemain, on ne mange rien pour le petit déjeuner. À 11 h, on dîne avec un repas faible en glucides. On soupe ensuite vers 18 ou 19 h. Cela fait 16 heures sans manger (on inclut la nuit) et une fenêtre de 8 heures pendant laquelle on prend deux repas, soit le dîner et le souper.

JOUR 1	JOUR 2	JOUR 3	JOUR 4	JOUR 5	JOUR 6	JOUR 7
Jeûne	**Jeûne**	**Jeûne**	**Jeûne**	**Jeûne**	**Jeûne**	**Jeûne**
Dîner	Dîner	Dîner	Dîner	Dîner	Dîner	Dîner
Souper	Souper	Souper	Souper	Souper	Souper	Souper

Le 24 h

Il s'agit de prendre un repas par période de 24 heures, par exemple le souper. Donc, on soupe vers 18 h et on ne mange plus jusqu'au souper du lendemain. On saute le petit déjeuner et le dîner. Le souper est généralement le repas qui est privilégié, puisqu'il permet aux personnes de manger un souper en famille, ce qui est souvent moins perturbateur pour l'entourage, en particulier avec les enfants. Cependant, il est tout à fait possible de jeûner d'un déjeuner ou d'un dîner jusqu'au déjeuner ou au dîner suivant.

Si vous désirez optimiser votre perte de poids et que vous n'avez pas de contrainte familiale ou de préférence, nous vous suggérons de sauter le souper, car pour des raisons qui sont en lien avec le rythme circadien et la baisse de l'activité physique chez la plupart des gens en soirée, le repas du soir peut nous faire sécréter jusqu'à 30 % plus d'insuline que si les mêmes aliments étaient consommés le matin ou le midi.

Les personnes qui cherchent à renverser leur résistance à l'insuline, leur diabète de type 2, leur surpoids, etc., peuvent effectuer ce jeûne deux ou trois fois par semaine, la plupart des semaines. Celles qui sont en phase de maintien du poids peuvent effectuer ce jeûne une ou deux fois par semaine.

JOUR 1	JOUR 2	JOUR 3	JOUR 4	JOUR 5	JOUR 6	JOUR 7
Jeûne	**Jeûne**	**Jeûne**	**Jeûne**	**Jeûne**	**Jeûne**	**Jeûne**
Dîner	**Jeûne**	Dîner	**Jeûne**	Dîner	**Jeûne**	Dîner
Souper	Souper	Souper	Souper	Souper	Souper	Souper

Le 36 h

Pendant un jeûne de 36 heures, on ne mange rien après le souper du premier jour jusqu'au déjeuner du surlendemain.

Exemple : on soupe au jour 1 et on ne mange rien en soirée. Le lendemain, au jour 2, on saute le petit dé-jeuner, le dîner et le souper. On déjeune le jour suivant, au jour 3. Il est possible de faire ce jeûne trois fois par semaine, la plupart des semaines. Pour les personnes qui ont beaucoup de poids à perdre ou qui prennent plusieurs médicaments contre le diabète, le 36 heures trois fois par semaine peut être très puissant.

JOUR 1	JOUR 2	JOUR 3	JOUR 4	JOUR 5	JOUR 6	JOUR 7
Déjeuner	**Jeûne**	Déjeuner	**Jeûne**	Déjeuner	**Jeûne**	Déjeuner
Dîner	**Jeûne**	Dîner	**Jeûne**	Dîner	**Jeûne**	Dîner
Souper	**Jeûne**	Souper	**Jeûne**	Souper	**Jeûne**	Souper

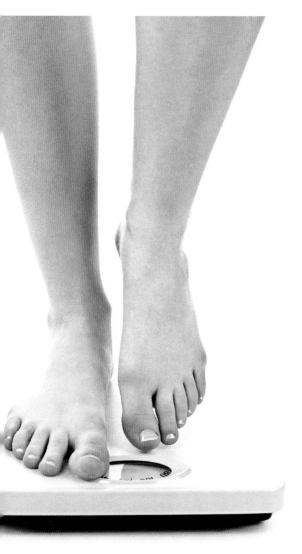

Le 42 h

Pour faire ce jeûne, on soupe au jour 1 et on ne recommence à manger qu'au dîner du jour 3. Pour certaines personnes habituées à sauter le petit déjeuner, le 42 heures est plus logique que le 36 heures et tout aussi facile, puisqu'elles n'ont pas faim le matin, même si elles ont jeûné la veille. On peut effectuer ce jeûne trois fois par semaine. Pour les personnes qui ont beaucoup de poids à perdre ou qui prennent plusieurs médicaments contre le diabète, le 42 heures trois fois par semaine est très puissant.

JOUR 1	JOUR 2	JOUR 3	JOUR 4	JOUR 5	JOUR 6	JOUR 7
Jeûne	**Jeûne**	**Jeûne**	**Jeûne**	**Jeûne**	**Jeûne**	**Jeûne**
Dîner	**Jeûne**	Dîner	**Jeûne**	Dîner	**Jeûne**	Dîner
Souper	**Jeûne**	Souper	**Jeûne**	Souper	**Jeûne**	Souper

La fréquence des jeûnes

Les cliniques médicales qui offrent le jeûne comme traitement pour le renversement des maladies chroniques liées au style de vie, tel le diabète de type 2, remarquent que les meilleurs résultats s'obtiennent auprès des patients qui jeûnent trois fois par semaine toutes les semaines. La constance et la patience sont les clés du succès.

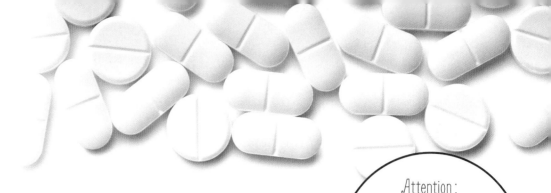

Comment commencer ?

Il est fortement recommandé d'être adapté à l'alimentation faible en glucides ou cétogène avant de tenter un jeûne.

Plusieurs personnes céto-adaptées font leur premier jeûne de manière spontanée par manque d'appétit. Elles dînent le midi, par exemple, et arrivent au souper encore rassasiées. Elles décident donc, avec raison, de ne pas souper. L'expérience est souvent vécue de façon positive, ce qui les encourage à recommencer.

Pour d'autres personnes, il faudra y aller progressivement. On peut par exemple commencer par sauter le petit déjeuner. Il est possible de prendre un café gras, en particulier dans les premiers temps (voir ci-contre les liquides permis pendant le jeûne). Si la faim se fait sentir en milieu d'avant-midi, on suggère de prendre un verre d'eau, un thé, un café ou une tasse

de bouillon d'os, et de s'occuper l'esprit. Si la faim s'aggrave malgré tout, on peut manger à ce moment et se donner comme objectif de retenter l'expérience le lendemain, et de repousser l'heure du repas de 15 minutes chaque fois.

Exemple : on soupe de 18 à 19 h et on ne mange plus rien en soirée. Le lendemain, on prend un café gras au réveil. Vers 9 h 30, la faim se fait sentir. On prend un deuxième café et on va marcher quelques minutes. Malgré cela, la faim est très forte vers 10 h 15. On peut alors manger son dîner, puis ne rien manger jusqu'au souper. Le lendemain, on essaie de se rendre jusqu'à 10 h 30 sans manger. Le jour suivant, on vise 10 h 45, et ainsi de suite. En quelques jours, le corps s'habitue et la faim disparaît. Cela devient une habitude.

Certaines personnes, même si elles sont céto-adaptées et que leur appétit a beaucoup diminué, continuent à être craintives face au jeûne. Elles ont peur d'avoir trop faim, d'être en panne d'énergie, de réveiller un trouble alimentaire, de ne plus être capables de se concentrer ou de vaquer à leurs occupations, etc. La peur les empêche d'essayer le jeûne intermittent.

Il est alors recommandé de bien se préparer : lire et relire les bienfaits du jeûne pour la santé globale, se préparer du bouillon d'os maison, se fixer une date – préférablement une journée très occupée –, et finalement se lancer, comme on se lance au bout du quai d'un lac même si l'on sait que l'eau sera froide. Il faut évidemment bien suivre les règles d'or du jeûne. La très grande majorité des gens sont surpris de la facilité avec laquelle ils sont passés à travers leur premier jeûne et ont hâte de recommencer !

> *Attention :* si vous prenez des médicaments, vous devez d'abord en discuter avec votre médecin ou votre spécialiste avant de tenter un jeûne.

Les liquides suggérés

Même si un vrai jeûne se fait à l'eau
et au sel seulement, il demeure
possible de consommer certains
liquides pendant tout type de jeûne
pour les personnes qui recherchent
principalement la perte de poids ou le
renversement de la résistance à l'insuline (diabète de type 2, SOPK, etc.). Ces
personnes peuvent consommer, en plus de
l'eau, du thé, de la tisane, du café et du bouillon d'os
fait maison. Il est suggéré de consommer plus d'eau que
des autres boissons acceptées.

Eau

On suggère 2 tasses d'eau pour chaque tasse de thé ou de
café consommée par jour, en raison des effets diurétiques
de ces boissons. Il est important de demeurer bien hydraté
pendant un jeûne. L'eau peut être pétillante ou non, chaude
ou froide. Les personnes qui doivent prendre des médicaments à jeun peuvent ajouter 1 ou 2 cuillères à table de
psyllium ou de graines de chia dans un verre d'eau et attendre
15 à 30 minutes avant de le boire avec leurs médicaments.

Thé, tisane et café

Tous les thés, tisanes et cafés peuvent être consommés
chauds ou froids, mais il est préférable de les consommer sans rien leur ajouter, soit sans lait, crème, sucre ou
édulcorant. À la rigueur, une très petite quantité de crème
peut être acceptable.

Bouillon d'os fait maison

Les personnes qui
commencent à jeûner
sont encouragées à
boire du bouillon d'os
de une à trois fois
par jour. C'est une
bonne façon de remplacer
ses électrolytes et de couper
la faim. Avec le temps et la
pratique, par contre, il peut être préférable de réduire les apports en bouillon
et de privilégier les jeûnes à l'eau et au sel seulement.

Il est fortement suggéré de faire son bouillon maison pour
éviter de consommer des ingrédients indésirables, comme des
agents de conservation, du sucre et des dérivés de féculents,
lesquels sont souvent ajoutés aux bouillons du commerce.

Les personnes végétariennes peuvent faire du bouillon de
légumes. On leur suggère de ne pas choisir des légumes
racines ni des légumineuses, et de privilégier les légumes
faibles en glucides. Il faut bien
sûr ne consommer que
le bouillon et non les
légumes du bouillon.

Conclusion

Le jeûne est un puissant outil thérapeutique
utilisé par l'humanité entière depuis la nuit des
temps, et c'est un phénomène naturel pour
lequel le corps humain est bien équipé. Pour
certaines personnes, l'alimentation faible en
glucides ou cétogène ne sera pas suffisante
pour renverser des problèmes de santé liés au
style de vie, comme le diabète de type 2 ou
l'obésité. Il leur faudra pratiquer le jeûne intermittent de manière assidue. Pour d'autres, ce
sera davantage une question d'équilibre, de
santé globale et de prévention. Peu importe
vos objectifs de santé et de vie, le jeûne mérite un intérêt et probablement un essai.

La cétose NUTRITIONNELLE

Qu'est-ce que la cétose nutritionnelle ?

Les glucides sont une source d'énergie pour le corps humain, mais ce n'est pas la seule. Lorsque l'on réduit de manière significative les apports en glucides, le corps peut se tourner vers un autre carburant, soit les gras. Ces gras peuvent provenir de l'alimentation et/ou des réserves corporelles. Le corps a été conçu pour pouvoir utiliser le gras comme carburant et les réserves de graisse du corps ont été conçues pour pouvoir être utilisées.

La cétose nutritionnelle est l'état métabolique naturel dans lequel se trouve le corps lorsqu'il se met à brûler de la graisse plutôt que des glucides comme principal carburant. Cette graisse est en partie transformée en corps cétoniques par le foie, d'où les termes « cétose nutritionnelle » et « alimentation cétogène ».

Que sont les corps cétoniques ?

On a longtemps cru que les corps cétoniques étaient des déchets toxiques. On sait maintenant qu'il s'agit plutôt d'un super carburant ayant des propriétés différentes du glucose. Ce carburant est principalement composé des métabolites dérivés des acides gras bêta-hydroxybutyrate (ßOHB) et acétoacétate (AcAc).

D'un point de vue plus technique, la production par le foie de ces molécules augmente lorsque le taux d'insuline est bas et que le taux de glucagon est suffisamment élevé pour accélérer la lipolyse (relâchement des acides gras des triglycérides stockés dans le tissu adipeux) et pour que les acides gras soient transportés dans la circulation sanguine vers le foie. Les corps cétoniques sont synthétisés par le clivage contrôlé des acides gras dans le foie. Ce processus s'appelle « cétogenèse ». Le relâchement des corps cétoniques dérivés des acides gras dans la circulation sanguine entraîne un état métabolique que l'on appelle la « cétose ».

En résumé, lorsque les apports en glucides sont très bas, le gras que l'on mange et celui qui est entreposé dans notre corps peuvent être convertis en corps cétoniques par le foie, et ces corps cétoniques constituent un carburant alternatif au glucose. C'est un processus normal et physiologique.

La majeure partie du cerveau et presque toutes les cellules du corps humain peuvent utiliser les corps cétoniques comme carburant. Les cellules qui ne le peuvent pas utiliseront simplement le glucose produit par le foie par le biais de la néoglucogenèse. Il est donc inutile de manger des glucides pour « nourrir son cerveau ».

L'utilisation des corps cétoniques comme source d'énergie produit moins de déchets que la combustion de glucose. On pourrait donc dire que c'est une énergie plus propre.

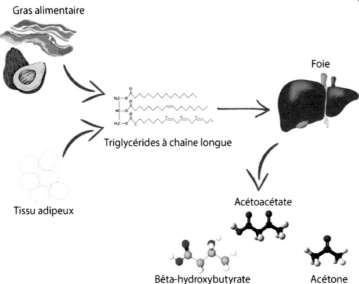

Gras alimentaire

Triglycérides à chaîne longue

Tissu adipeux

Foie

Acétoacétate

Bêta-hydroxybutyrate

Acétone

Comment entrer en cétose nutritionnelle ?

Pour entrer en cétose nutritionnelle, les réserves de glycogène doivent être basses. Le glycogène est la forme sous laquelle le glucose est emmagasiné dans le foie et les muscles. Pour ce faire, il faut jeûner ou réduire ses apports en glucides en adoptant une alimentation cétogène (environ 20 g de glucides nets par jour et moins). Le temps nécessaire pour entrer en cétose varie d'un individu à l'autre et peut dépendre, entre autres, du niveau d'activité physique. On parle généralement d'une période de 24 heures lors d'un jeûne et de quelques jours (environ trois jours d'alimentation cétogène). En général, les athlètes peuvent manger plus de glucides, soit de 50 à 80 g par jour, et entrer malgré tout en cétose nutritionnelle.

Pourquoi entrer et rester en cétose nutritionnelle ?

La cétose nutritionnelle offre des avantages métaboliques et thérapeutiques. C'est un état qui imite le jeûne, sans toutefois comporter de privation de nourriture. Les corps cétoniques réduisent la faim de manière naturelle, ce qui aide à réduire les apports caloriques globaux ou à entamer un jeûne intermittent ou prolongé.

On a démontré cliniquement que la cétose nutritionnelle pouvait réduire la glycémie sanguine (et donc la HBA1c, qui est le taux de sucre moyen dans le sang des trois derniers mois), améliorer la sensibilité à l'insuline et réduire l'inflammation (leucocytes et CRP), entre autres. Cela peut aussi avoir des répercussions significatives sur la douleur chronique exacerbée par l'inflammation.

Cependant, l'expérience clinique a également démontré qu'il était possible de renverser le diabète de type 2 et de perdre du poids de manière significative sans être en cétose chez un certain nombre de patients, avec une alimentation faible en glucides modérée (environ 50 g/jour) ou même libérale (environ 100 g/jour), combinée ou non à du jeûne intermittent.

Certaines personnes préfèrent rester en cétose nutritionnelle pour des raisons thérapeutiques, tandis que d'autres visent la cétose parce qu'elles se sentent mieux dans cet état, rapportant une meilleure clarté mentale et une plus grande énergie, entre autres.

Il faut parfois plusieurs jours, voire plusieurs semaines, pour entrer en cétose, et parfois encore plus longtemps pour y rester constamment, malgré un apport stable et faible en glucides. Il faut donner au corps le temps de s'adapter et de changer son carburant principal. En fait, l'adaptation (appelée communément « céto-adaptation ») comporte une série de changements métaboliques qui peuvent prendre de quelques semaines à quelques mois à survenir, selon les individus. On estime que cette période peut s'étendre de trois mois à un an.

La cétose et la perte de poids

La cétose nutritionnelle étant l'état métabolique dans lequel le corps utilise le gras comme carburant, la production de corps cétoniques est souvent associée, à tort, à la perte de poids. Autrement dit, plusieurs personnes pensent qu'elles doivent être en cétose pour maigrir et que si elles sont en cétose, elles vont forcément maigrir. Or, cela n'est pas nécessairement vrai.

En effet, la cétose nutritionnelle, que l'on peut mesurer avec une goutte de sang sur la bandelette de cétonémie avec un lecteur de glycémie-cétonémie, n'indique qu'une seule chose : le principal carburant qui est en train d'être utilisé. Si le lecteur indique 0,5 mmol/L et plus, on considère que le corps est en cétose, et donc qu'il est en train de brûler du gras. Mais ce gras peut provenir de la nourriture qui a été mangée ou des réserves de graisse du corps. On ne peut pas faire la distinction.

L'expérience clinique montre que plusieurs personnes réussissent à perdre du poids de manière considérable avec une alimentation faible en glucides, mais sans jamais être en cétose de manière continue, alors que d'autres personnes en cétose profonde et constante ne perdent pratiquement pas de poids. La cétose n'est pas essentielle à la perte de poids et elle ne garantit pas la perte de poids.

La cétose indique que le principal carburant utilisé est le gras et, de ce fait, que les apports en glucides sont très faibles. Elle indique donc que la résistance à l'insuline et l'hyperinsulinémie, ainsi que tous les problèmes auxquels ces entités sont associées, sont probablement en train de se renverser tranquillement.

Quand mesurer sa cétonémie ?

Pour connaître les différentes méthodes de mesure des corps cétoniques en circulation dans le corps, veuillez vous référer au tome 1 de *Perdre du poids en mangeant du gras*.

On peut mesurer la cétonémie à jeun le matin, mais il faut savoir que c'est souvent la plus difficile à avoir en raison de l'effet de l'aube et de la faible quantité de corps cétoniques produite lorsque le corps est au repos. Si on n'est pas en cétose le matin, cela ne signifie pas que l'on fait quelque chose d'incorrect ni que l'on ne pourra pas être en cétose pour le reste de la journée. Il est important de comprendre que les corps cétoniques sont des substrats énergétiques qui sont produits au besoin. Tout comme l'activité physique augmente leur production, le repos la ralentit. C'est pourquoi on mesure généralement des cétonémies plus faibles le matin et plus élevées en fin de soirée.

On peut mesurer sa cétonémie juste avant le dîner ou le souper, ou même juste avant de se coucher. On peut évidemment mesurer sa cétonémie en tout temps pendant un jeûne intermittent ou prolongé.

La mesure de la cétonémie se veut un outil pour aider à améliorer l'alimentation et l'hygiène de vie (sommeil, stress, etc.) chez les personnes qui recherchent la cétose nutritionnelle pour des raisons thérapeutiques ou de bien-être général, ou encore chez celles qui veulent

simplement essayer cet état métabolique. Si cela est un stress (se piquer, couper les glucides au-delà de ce qui est agréable, ne pas voir les chiffres attendus, etc.), ou si voir tel ou tel chiffre devient une obsession négative, mieux vaut laisser tomber la mesure de la cétonémie et se concentrer sur ses objectifs de santé et de bien-être.

Interprétation de la cétonémie (corps cétoniques dans le sang) en mmol/L

De 0 à 0,1 : très faible production de corps cétoniques ; le corps carbure au glucose.

De 0,2 à 0,4 : corps cétoniques en circulation, mais ils ne sont pas encore le principal carburant du corps et celui-ci n'est pas considéré comme étant en cétose.

0,5 et plus (habituellement jusqu'à 5) : cétose nutritionnelle avec activation de la lipolyse.

De 6 à 10 : cétose de la famine, résultant habituellement d'un jeûne prolongé.

15 et plus : probable acidocétose diabétique.

Quelle est la différence entre la cétose nutritionnelle et l'acidocétose diabétique ?

La cétose nutritionnelle est un état physiologique normal de production de corps cétoniques, qui sont un carburant alternatif au glucose. De récentes études ont montré que les corps cétoniques étaient de puissantes molécules de signalisation hormonale et épigénétique.

Chez les personnes qui ne sont pas diabétiques de type 1 privées d'insuline et chez les personnes diabétiques de type 2 qui ne prennent pas un médicament appelé inhibiteur du SGLT-2, la cétose nutritionnelle est parfaitement sécuritaire et ne peut pas se transformer en acidocétose.

L'acidocétose diabétique est pathologique et se manifeste lorsque les taux de corps cétoniques se situent autour de 15 à 25 mmol/L et que la glycémie est élevée. La lipolyse étant minutieusement régulée par le corps, il est excessivement rare qu'une personne ayant une fonction hépatique (cellules bêta) normale entre en acidocétose.

AVERTISSEMENT

Si vous êtes diabétique de type 1 ou de type 2, il est impératif de consulter votre médecin avant d'apporter tout changement significatif à votre alimentation, en particulier si vous désirez adopter une alimentation faible en glucides ou cétogène.

Source générale : D' Stephen Phinney, Virta Health

LA COMPOSITION
CORPORELLE

Nous avons pratiquement tous tendance à nous fier à ce que dit la balance pour savoir si nous avons un poids santé ou si nous sommes en train de perdre du gras. Or, la santé métabolique et le «poids santé» sont deux choses différentes.

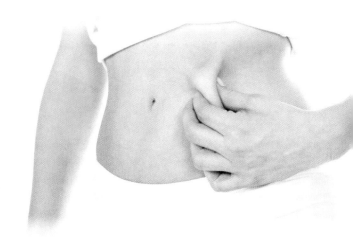

Le poids sur la balance

Le poids sur la balance ne peut indiquer qu'une seule chose, soit combien vous pesez ce jour-là, à ce moment-là. On peut trouver sur Internet des tableaux qui indiquent quel serait le «poids santé» à viser selon notre sexe et notre grandeur. Cependant, il s'agit d'une information très incomplète.

L'indice de masse corporelle (IMC)

L'indice de masse corporelle est une mesure utilisée fréquemment par les professionnels de la santé pour évaluer rapidement la santé métabolique des gens. Il s'agit d'un calcul divisant le poids en kg par la grandeur en mètre carré. Toutefois, cette information est souvent trompeuse.

kg/m²

Voici l'interprétation standard de l'IMC pour les adultes :

18,5 et moins : sous le poids santé

De 18,5 à 24,9 : poids santé

De 25 à 29,9 : surpoids

De 30 à 34,9 : obésité classe I

De 35 à 39,9 : obésité classe II

40 et plus : obésité classe III

Pourquoi le « poids santé » et l'IMC ne sont-ils pas fiables ?

Le poids santé et l'IMC ne prennent en considération que le poids de votre corps, sans égard à ce qui compose ce poids, c'est-à-dire les proportions de muscles, d'eau, d'os et de graisse qu'il contient. De plus, cela ne nous donne aucune information quant à la distribution de la graisse dans le corps. Or, on sait qu'il existe différents *patterns* d'accumulation de masse adipeuse (graisse) dans le corps, dont la forme gynécoïde (poire) et la forme androïde (pomme).

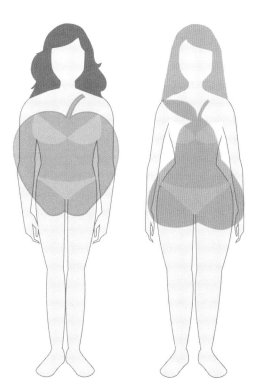

La forme gynécoïde est caractérisée par une accumulation de graisse principalement en sous-cutané (sous la peau) au niveau des hanches, des fesses et des cuisses, alors que la forme androïde est caractérisée par une accumulation principalement dans la cavité abdominale. La graisse sous-cutanée est moins problématique pour la santé, alors que celle qui est intra-abdominale l'est beaucoup plus, puisqu'elle entoure et infiltre les viscères. La graisse viscérale participe aux problèmes de santé métabolique et contribue à aggraver l'inflammation dans le corps.

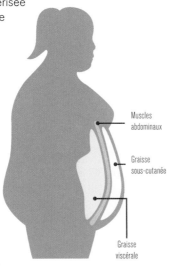

Muscles abdominaux

Graisse sous-cutanée

Graisse viscérale

Les personnes qui ont tendance à accumuler de la graisse au niveau de l'abdomen sont plus à risque de problèmes de santé, comme le syndrome métabolique et le diabète de type 2, que le sont les personnes qui ont exactement le même surplus de poids, mais avec une distribution davantage axée sur les hanches et les cuisses. Autrement dit, il est plus dangereux pour la santé d'être en forme de pomme que d'être en forme de poire.

Les MEGI (ou TOFI)

Les personnes qui ont l'air d'être plutôt minces, mais qui ont une grande quantité de graisse viscérale s'appellent des MEGI («mince à l'extérieur et gras à l'intérieur» ou TOFI en anglais pour «Thin on the Outside and Fat on the Inside»).

La composition corporelle

Le corps est composé de graisse, de muscles (masse maigre), d'os et d'eau, entre autres. Pour être en bonne santé métabolique, mis à part avoir de beaux résultats sanguins et un foie en bonne santé, il importe d'avoir une composition corporelle santé.

LA GRAISSE

Le taux de graisse corporelle normal pour un adulte dépend principalement de son sexe et de son origine ethnique. Les experts ne s'entendent pas précisément sur les cibles, mais les taux jugés normaux sont habituellement autour de 18 à 28 % chez les femmes et de 10 à 20 % chez les hommes.

LES OS

Un squelette en santé pèse plus lourd sur la balance qu'un squelette atteint d'ostéopénie ou d'ostéoporose.

L'EAU

La quantité totale de livres d'eau dans un corps peut être étonnante et peut varier légèrement de plus ou moins 2 litres d'eau, soit d'environ 4 livres, d'un moment à l'autre dans une même journée ou d'un jour à l'autre. Si vous buvez beaucoup d'eau avant d'embarquer sur la balance, vous pèserez plus lourd. Si vous venez de faire de l'exercice et avez transpiré abondamment, vous pèserez moins lourd. Si vous vous pesez à jeun et nu le matin, puis habillé plusieurs heures plus tard chez votre médecin, au cours de la même journée, vous pouvez facilement avoir une différence de quatre à six livres. C'est surtout l'eau, le poids de vos vêtements et la différence entre votre balance et celle de votre médecin qui ont une influence.

LES MUSCLES

La masse musculaire, aussi appelée masse maigre, est l'une des principales raisons pour lesquelles la balance et l'IMC sont peu fiables lorsqu'il est question de santé métabolique. Des muscles forts et sains sont essentiels à une bonne santé et ont un impact direct sur le métabolisme de base. Les muscles pèsent également plus lourd que la graisse pour un même volume.

Lorsque la masse maigre est insuffisante pour le bon fonctionnement du corps, on appelle cela de la sarcopénie, soit l'insuffisance de muscles. Il est bien connu que les personnes atteintes d'ostéoporose sont plus à risque de fractures. Il devrait être tout aussi connu que les personnes atteintes de sarcopénie sont plus à risque de chutes, de troubles de l'équilibre et de perte d'autonomie (exemples : se lever d'une chaise ou monter les escaliers dans sa maison).

5 lb de gras

5 lb de muscle

Comment mesurer la composition corporelle

Il existe plusieurs méthodes pour mesurer ou estimer la composition corporelle. En voici deux assez fiables et accessibles.

LIPODENSITOMÉTRIE OU SCAN DEXA

Il s'agit d'une imagerie médicale que votre médecin peut demander et dont les coûts sont défrayés par la RAMQ une fois par année. Ce test est effectué par la même machine que celle utilisée pour l'ostéodensitométrie (dépistage de l'ostéoporose) et génère environ la même quantité de radiations que le rayon X d'un bras. Le rapport traite de la santé osseuse, de la masse maigre et du pourcentage de graisse corporelle. C'est le test le plus précis et le plus fiable, mais son interprétation est plus difficile.

IMPÉDANCEMÉTRIE OU BALANCE À BIO-IMPÉDANCE

Il existe des balances personnelles ou commerciales qui peuvent analyser la composition du corps et quantifier en poids et en pourcentages la graisse, l'eau et la masse musculosquelettique. Des courants sinusoïdaux de faible intensité parcourent le corps via plusieurs électrodes ou points de contact et parviennent à déterminer comment est composé le corps. Plus il y a de points de contact, plus le résultat obtenu est fiable. Ce test est affecté par le niveau d'hydratation dans le corps et par le contenu de l'estomac. Une surhydratation fera baisser le taux de graisse, alors qu'un estomac bien plein le fera augmenter. Il est donc préférable de faire ce test à jeun et de le répéter plus tard en essayant de reproduire le plus fidèlement possible les conditions dans lesquelles le premier test a été passé. Ce test est considéré comme relativement fiable.

Pourquoi est-il important de connaître et de suivre sa composition corporelle ? Trois cas cliniques réels

1ER EXEMPLE

Un patient de 34 ans consulte son médecin pour lui parler de son poids. Le médecin mesure et pèse le patient, calcule son indice de masse corporelle, et lui annonce qu'il est à plus de 40, et donc dans la catégorie «obésité morbide de classe III». De ce fait, il est candidat à la chirurgie bariatrique, ce que le médecin suggère fortement au patient. Ce patient décide d'obtenir une analyse de sa composition corporelle avec une balance à impédance de grade commercial. Voici ses résultats :

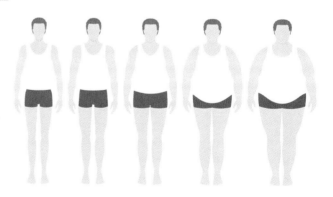

> **Poids : 281,3 livres, soit environ 180 %**
> **du poids qui est attendu pour son âge,**
> **son sexe et sa grandeur**
>
> **IMC : 40,4**
>
> **Masse musculosquelettique : 107,8 livres, soit**
> **148 % de la masse qui est attendue pour lui**
>
> **Taux de graisse corporelle : 33,9 % (normale**
> **pour un homme = entre 10 et 20 %)**

Que nous dit cette analyse ? Que cet homme est très musclé et qu'une bonne partie du poids sur la balance est composée de muscles, ce qui est bénéfique pour sa santé. Si l'on ramenait sa masse musculosquelettique de 148 à 100 % et qu'on lui enlevait le poids excédentaire de ces muscles, cela lui donnerait un IMC d'environ 29. Il se trouverait donc dans la catégorie «surpoids» et ainsi, ne serait pas du tout candidat à la chirurgie bariatrique. Il serait, dans les faits, assez proche de son véritable poids santé.

2ᴱ EXEMPLE

Une patiente a un poids santé selon les normes standard. À la lipodensitométrie, on constate que son taux de graisse corporelle est à 36 % (normale pour une femme = entre 18 et 28 %). Elle décide d'adopter une alimentation faible en glucides et de faire de la musculation. Six mois plus tard, elle n'a perdu « que » 9 livres, ce qui pourrait être décourageant pour certains. Elle insiste sur le fait que son corps n'est plus du tout pareil et qu'elle reçoit constamment des compliments de gens autour d'elle qui lui disent qu'elle a donc bien aminci. Elle décide de refaire une analyse de sa composition corporelle. Son taux de graisse est maintenant à 27 %, soit dans les normes de la santé métabolique. Cette patiente a perdu relativement peu de poids sur la balance parce qu'en même temps qu'elle perdait de la graisse, elle prenait de la masse maigre (des muscles) grâce à la musculation qu'elle faisait.

Si elle perdait encore 5 livres de graisse et prenait en même temps 5 livres de muscle, la balance lui dirait que rien n'a bougé, alors qu'en réalité, elle se trouverait en meilleure santé métabolique.

En clinique, il est fréquent de voir des patients ayant un poids santé selon les normes, mais qui sont atteints de sarcopénie sévère et qui, de ce fait, sont à risque de chute et de vieillissement accéléré prématuré. Ces personnes semblent avoir un poids santé quand on les regarde et quand on consulte un tableau de poids santé, mais elles sont habituellement très grasses à l'intérieur et souffrent souvent d'ostéopénie ou d'ostéoporose, en plus de sarcopénie.

Il est aussi fréquent de voir des patients, autant des hommes que des femmes, qui semblent obèses, mais qui, en réalité, sont simplement en surpoids parce qu'ils ont beaucoup de muscles et que ces muscles pèsent lourd. Le cas classique : « Docteur, je m'entraîne plusieurs fois par semaine, je mange bien, et pourtant je ne perds pas de poids ! Je suis découragée ! ». Si vous faites beaucoup d'activité physique efficace, notamment de la musculation, et que le poids qu'indique la balance ne descend ni ne monte, il est fort à parier que vous êtes en train de prendre du muscle et, forcément, de perdre de la masse grasse. Mais ça, votre balance ne vous le dira pas !

3ᴱ EXEMPLE

Voici les photos avant-après de Dʳᵉ Èvelyne Bourdua-Roy. Sur les deux photos, elle pèse 152 livres. Même poids, différente composition corporelle !

Ces résultats ont été obtenus après 1 an et 4 mois de HIT (*High Intensity Training*), soit de la musculation à haute intensité pendant 20 minutes une fois par semaine, toutes les semaines, selon la méthode de Body by Science du docteur Doug McGuff, au Studio S+, avec l'entraîneur Randall Lightbown.

APRÈS

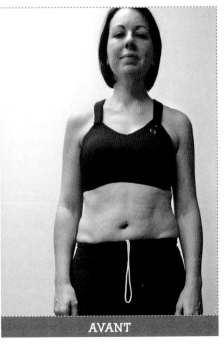

AVANT

Bref, la composition corporelle est très importante pour la santé et devrait nous intéresser davantage que le simple poids sur la balance. Il serait souhaitable que chacun connaisse son taux de graisse corporelle, sache si ses os sont sains ou ostéoporotiques et sache si sa masse musculaire est suffisante ou sarcopénique.

Si vous avez adopté une alimentation faible en glucides ou cétogène, avec ou sans jeûne intermittent, et que vos vêtements sont de plus en plus grands, alors que la balance indique une perte de poids minime ou nulle, ne vous fiez pas à votre balance. Elle ne vous raconte pas la vraie histoire. Obtenez plutôt une analyse de votre composition corporelle ou fiez-vous à vos vêtements.

Que faire si votre analyse corporelle révèle que...

... votre taux de graisse est trop élevé.

Vous devriez améliorer votre alimentation, par exemple en adoptant une alimentation contenant moins de sucre, de produits transformés et d'huiles riches en oméga-6. Certains estiment que 90 % de la perte de graisse provient de l'alimentation et non de l'exercice physique. Ajoutez aussi des périodes de jeûne intermittent de manière régulière.

... vous n'avez pas assez de muscle.

Si vous êtes actuellement atteint de sarcopénie ou désirez l'éviter, ou encore si vous désirez augmenter votre métabolisme basal, la musculation est votre meilleure alliée. Les activités comme la marche, le yoga et la Zumba ne sont habituellement pas suffisantes pour stimuler la croissance musculaire.

... votre masse osseuse n'est pas adéquate.

Si vous êtes atteint d'ostéopénie ou d'ostéoporose, veuillez en discuter avec votre médecin de famille ou votre spécialiste. Ce problème de santé a souvent plusieurs causes et plusieurs solutions, dont des médicaments et des suppléments. Vous pourriez en plus améliorer votre alimentation, éviter le tabac et les excès d'alcool et faire de l'activité physique de renforcement musculaire, d'impact et d'équilibre. Consultez un kinésiologue ou un physiothérapeute pour savoir quoi faire exactement.

L'ACTIVITÉ PHYSIQUE
et l'alimentation faible en glucides ou cétogène

Pour bien des gens, l'adoption d'une alimentation faible en glucides ou cétogène est une excellente façon d'améliorer leur santé et leur bien-être. Peut-être vous demandez-vous comment intégrer l'exercice physique à ce style de vie pour optimiser vos résultats. La plupart des gens savent que l'exercice physique régulier apporte des bienfaits pour la santé globale. Voici quelques points à considérer pour intégrer l'activité physique à l'alimentation faible en glucides ou cétogène et au jeûne intermittent.

En premier lieu, quels sont les avantages associés à l'activité physique régulière ?

- Amélioration de la fonction cérébrale (moins de brouillard mental)

- Amélioration de la composition corporelle (voir la section «La composition corporelle» aux pages 31 à 35)

  - Maintien et/ou augmentation de la masse musculaire et de la densité osseuse (pour éviter ou renverser la sarcopénie et l'ostéoporose)

  - Réduction du taux de gras corporel

- Amélioration de la sensibilité à l'insuline (réduction de la résistance à l'insuline)

- Amélioration du système immunitaire

- Réduction du risque de développer certains cancers

- Capacité accrue à gérer le stress

- Changements positifs à la composition du microbiome intestinal

- Meilleur sommeil

LA PÉRIODE D'ADAPTATION

Lorsque l'on adopte une alimentation faible en glucides ou cétogène, il y a en général une période d'adaptation à prévoir (voir le tome 1 de *Perdre du poids en mangeant du gras*) au cours de laquelle on peut ressentir certains symptômes. C'est le corps qui remet en fonction sa machine à brûler des graisses comme carburant. Même si l'on peut entrer en cétose nutritionnelle (corps cétoniques dans le sang entre 0,5 et 6 mmol/L) assez rapidement, parfois en quelques jours seulement, il est important de savoir que cela ne signifie pas nécessairement que l'on est céto-adapté. La véritable céto-adaptation, soit la capacité de produire des corps cétoniques à partir du gras (ceux que l'on mange et ceux de nos réserves de graisse) et la capacité d'utiliser efficacement ce carburant, prend de plusieurs semaines à plusieurs mois.

Comment savoir si l'on est céto-adapté ?

Voici quelques indicateurs :

- Réduction ou disparition des rages de sucre et de glucides raffinés

- Changement des signaux de faim et de satiété (la faim n'est plus constamment présente)

- Clarté mentale augmentée

- Énergie stable et présente toute la journée

- Meilleur sommeil globalement

- Diminution du besoin d'ajouter du gras supplémentaire aux repas

- Augmentation de la cétonémie et capacité à retourner rapidement en cétose nutritionnelle après un apport un peu trop élevé en glucides

La performance physique tend à décliner dans les premières semaines suivant l'adoption d'une alimentation faible en glucides ou cétogène, mais elle revient habituellement à la normale après environ six semaines. Dans certains cas, cependant, cela peut prendre de 6 à 12 mois. La vitesse à laquelle on peut se céto-adapter d'un point de vue sportif dépend de plusieurs facteurs, comme l'alimentation antérieure, la quantité et la fréquence de l'activité physique, la sensibilité à l'insuline, etc. Il est donc recommandé de réduire l'intensité globale de ses entraînements pendant les deux à quatre premières semaines. Par la suite, il est suggéré d'augmenter progressivement l'intensité, de voir comment le corps répond et de s'écouter.

L'exercice et le jeûne

Le jeûne intermittent ou prolongé est pratique courante chez les personnes qui ont adopté l'alimentation faible en glucides ou cétogène. Puisque la faim est souvent beaucoup moins présente et que la satiété perdure plus longtemps, le jeûne devient un outil thérapeutique accessible et intéressant pour la santé globale et la composition corporelle.

Peut-on faire de l'exercice tout en jeûnant ?

En adoptant une alimentation faible en glucides ou cétogène, on peut réapprendre à son corps à brûler du gras : celui que l'on mange et celui qui est entreposé dans les réserves corporelles. De manière similaire, on peut réapprendre à ses muscles à brûler du gras comme carburant. Plusieurs études montrent qu'il y a des avantages à s'entraîner à jeun en raison de la combinaison entre un taux d'insuline bas et un niveau élevé d'adrénaline (créé par le jeûne) qui, ensemble, stimulent l'oxydation et la dégradation des gras.

Donc, la réponse simple à la question « Peut-on faire de l'exercice tout en jeûnant ? » est « oui » ! Cependant, il est important de demeurer bien hydraté et de maintenir un bon équilibre électrolytique (sodium, magnésium, potassium, etc.). Il est également important de savoir que, selon le contexte et les besoins et objectifs de chacun, des modifications à l'entraînement et aux apports nutritionnels pourraient être nécessaires.

L'entraînement cardiovasculaire versus l'entraînement par résistance : l'un est-il meilleur que l'autre ?

Voici les recommandations officielles en matière d'activité physique* :

Pour favoriser la santé, les adultes âgés de 18 à 64 ans devraient faire chaque semaine au moins 150 minutes d'activité physique aérobie d'intensité modérée à élevée par séances d'au moins 10 minutes.

Il est aussi bénéfique d'intégrer des activités pour renforcer les muscles et les os et faisant appel aux groupes musculaires importants au moins deux jours par semaine.

S'adonner à encore plus d'activité physique entraîne plus de bienfaits pour la santé.

Donc, une combinaison d'entraînement cardiovasculaire et musculaire serait à privilégier.

Cependant, ce sont des recommandations générales. Il convient de les adapter en fonction des besoins, des objectifs, des problèmes de santé, des limitations physiques et autres facteurs de chacun. Il convient aussi de se rappeler que même si on n'atteint pas le minimum recommandé, il vaut mieux faire un peu d'exercice que pas du tout.

*Référence : Société canadienne de physiologie de l'exercice, csepguidelines.ca/fr/adults-18-64/.

La performance sportive avec l'alimentation faible en glucides ou cétogène

Qu'ont en commun LeBron James (basketball), Kobe Bryant (basketball), les All Blacks (équipe de rugby néo-zélandaise), Chris Froome (cycliste quadruple vainqueur du Tour de France) et Zach Bitter (champion d'ultra-marathons) ? Ce sont tous des athlètes qui ont choisi d'adopter une alimentation faible en glucides ou cétogène dans le but d'obtenir un avantage compétitif.

Quels sont certains des avantages de l'alimentation faible en glucides ou cétogène en matière de performance sportive ?

- Amélioration de la composition corporelle

- Diminution de la dépendance aux glucides pendant l'activité physique

- Diminution de la tendance à « frapper un mur » pendant l'activité physique, puisque le corps aura davantage tendance à préférer le gras comme carburant (qui se trouve en réserves facilement accessibles dans le corps)

- Possiblement moins d'inflammation après l'activité physique, et donc amélioration de la vitesse de récupération

ATTENTION

Avant de dire que tout sportif pratiquant tout sport devrait passer à l'alimentation faible en glucides ou cétogène, il faut préciser que nous ne sommes pas tous pareils et que des différences individuelles peuvent dicter le type de nutrition qui aidera à optimiser la performance sportive.

Par ailleurs, il y a plusieurs méthodes différentes qui peuvent être essayées en matière d'alimentation faible en glucides ou cétogène :

- Cétogène stricte

- Cétogène ciblée

- Cétogène cyclique

- Cétogène riche en protéines

- Jeûne modifié aux protéines (ou jeûne protéiné modifié)

En réalité, ce qu'il faut comprendre et retenir est que la science n'a pas entièrement tranché la question et qu'il n'existe pas d'approche ou de méthode qui soit parfaite et qui convienne à tous. C'est en faisant quelques expériences personnelles avec différentes options que l'on finit souvent par déterminer ce qui nous convient le mieux personnellement.

Pour améliorer sa santé ou la maintenir, il est essentiel de reconnaître que la nutrition et l'exercice physique sont deux habitudes de vie extrêmement importantes à optimiser, mais que ce ne sont pas les seules.

Si vous pensez que vous suivez toutes les recommandations (que vous faites «tout comme il faut») et que, malgré cela, vous n'atteignez pas vos objectifs, posez-vous les questions suivantes :

- Comment est mon sommeil ces temps-ci ? Est-il de qualité et de durée adéquate ?

- Est-ce que mon niveau de stress a augmenté ces derniers temps ?

- Est-ce que je me mets trop de pression pour atteindre mes objectifs trop rapidement ?

- Est-ce qu'il y a eu des changements récents dans mes médicaments ?

- Est-ce que mon exposition à la lumière naturelle a diminué ces derniers temps ?

Même si cette liste n'est pas exhaustive, elle fournit des pistes de réflexion intéressantes à explorer, car ce sont tous des éléments qui peuvent avoir un impact sur l'énergie, la perte de poids et la performance sportive.

Marc Ciminelli est kinésiologue depuis plus de 20 ans et a développé un intérêt particulier pour l'alimentation faible en glucides et cétogène. Étant lui-même un ultra-marathonien, il a personnellement fait l'expérience des avantages de cette alimentation pour la performance sportive et l'endurance. Il fait partie de l'équipe de la Clinique Reversa et de Céto Solutions depuis leur création et a ainsi pu aider, guider, encourager et soutenir des centaines de patients dans leur cheminement vers une meilleure santé.

— *Marc Ciminelli, collaborateur spécial*

LA SATIÉTÉ

Qu'est-ce que la satiété ? Il s'agit de la sensation que le corps produit lorsque l'on est satisfait et rassasié par ce que l'on vient de manger. C'est une sensation de plénitude et de comblement. C'est habituellement un état de bien-être qui peut devenir un inconfort si l'on n'écoute pas le signal d'arrêter de manger. Le corps recherche la satiété et n'aime pas se passer de cette sensation trop longtemps.

Pourtant, les régimes amaigrissants sont presque tous basés sur le même modèle et les mêmes prémisses : pour perdre du poids, il faut ingérer moins de calories et bouger plus, sans égard à la faim et à l'absence de satiété. L'important est de créer un déficit de calories et de le maintenir, en faisant preuve de volonté. De ce point de vue, toutes les calories sont d'égale importance et le succès de la démarche dépend de la volonté et de la ténacité de chacun.

Or, la perte de poids est d'abord et avant tout une question d'hormones. Certaines hormones stimulent l'appétit, alors que d'autres stimulent la satiété. Certaines stimulent le stockage de la graisse, alors que d'autres permettent de les brûler. Ces hormones ne dépendent pas de votre volonté et ne sont pas sécrétées en réponse à un nombre de calories ingérées, mais bien en fonction des macronutriments (lipides, protéines, glucides) ingérés. Voici un résumé très sommaire de certaines hormones, parmi les plus importantes, qui ont un impact sur la satiété.

L'insuline, l'hormone du stockage de la graisse

Il y a, bien sûr, l'hormone insuline qui est sécrétée par le pancréas lorsque l'on consomme des glucides et, dans une moindre proportion, lorsque l'on consomme des protéines. Elle n'est pratiquement pas sécrétée lorsque des lipides sont consommés.

L'insuline est l'hormone maîtresse du stockage de la graisse. Elle incite le corps à faire des réserves de graisse. On appelle cela la lipogenèse. De plus, lorsqu'elle est en circulation dans le sang, l'insuline empêche le corps d'utiliser ses réserves de graisse déjà stockées. On dit alors qu'elle est inhibitrice de la lipolyse.

La leptine, l'hormone de la satiété

Il y a par ailleurs des hormones qui sont spécifiques à la régulation de l'appétit, dont la leptine et la ghréline. La leptine est une hormone de satiété. Elle est sécrétée par les cellules graisseuses et est envoyée dans une région du cerveau appelée «hypothalamus» pour aviser que les réserves énergétiques sont suffisantes et que la faim devrait être coupée. Elle permet donc au corps de ressentir la satiété. En théorie, plus nos réserves de graisse sont importantes, plus il y a de leptine qui est sécrétée, et plus le signal de satiété devrait normalement arriver rapidement et durer longtemps. À la base, le corps souhaite garder un équilibre sain, c'est-à-dire avoir des réserves énergétiques suffisantes pour assurer la survie en cas de besoin, mais pas trop grandes non plus, puisque cela pourrait causer des problèmes, comme de l'inflammation, des douleurs articulaires ou une diminution de la mobilité.

Cet équilibre entre une suffisance de réserves énergétiques sans surabondance délétère peut devenir perturbé si le cerveau développe une résistance à la leptine. Lorsque cela survient, les signaux de satiété sont de moins en moins bien perçus et l'appétit augmente ou n'est pas satisfait. Il faut alors manger de plus grandes quantités de nourriture et manger plus souvent pour se sentir rassasié.

L'insuline interfère avec le message de la leptine. L'insuline dit au corps de stocker la graisse, alors que la leptine dit que les réserves de graisse sont suffisantes, et donc qu'il faut arrêter de manger. Entre ces deux signaux, celui du stockage de la graisse l'emporte le plus souvent.

La ghréline, l'hormone de la faim

L'hormone ghréline, quant à elle, stimule l'appétit. Elle est sécrétée majoritairement par l'estomac. Des études ont démontré que les personnes qui se mettent au régime en coupant leurs apports caloriques voient leur taux de ghréline augmenter, et ce taux peut demeurer élevé très longtemps après la fin du régime amaigrissant. Donc, la faim est augmentée de manière chronique à cause de la ghréline, qui stimule l'appétit, et parce que les signaux de satiété de la leptine sont abaissés.

Il peut en résulter un arrêt du régime amaigrissant, tout simplement parce que les gens n'en peuvent plus d'avoir faim et de penser à la nourriture constamment. Il peut y avoir un découragement ou une perte de contrôle qui les amène à consommer plus de nourriture que ce qu'ils s'étaient fixé comme objectif. La reprise du poids perdu ne se fait habituellement pas attendre. En effet, les statistiques nous indiquent que la majorité des gens qui suivent un régime amaigrissant finissent par reprendre tout le poids perdu, et parfois même davantage.

Les personnes dans une telle situation ressentent souvent un sentiment d'échec et de découragement. Mais le désir d'avoir un corps aux mensurations plus «standard», pour de multiples raisons qui sont tout à fait compréhensibles, incite plus d'une personne à réessayer un autre régime amaigrissant, tôt ou tard.

N'importe quel régime ou alimentation qui ne tient pas compte des hormones de la régulation de l'appétit et du stockage de la graisse présente un risque élevé de se solder en échec, en particulier si un tel régime n'est axé que sur la réduction des apports caloriques.

L'alimentation faible en gras des dernières décennies

L'alimentation faible en gras est la norme sociale en Amérique du Nord depuis plusieurs décennies. Comme cette alimentation est modérée en protéines, la balance énergétique doit forcément provenir des glucides. Cette alimentation est donc faible en gras, modérée en protéines et élevée en glucides.

L'un des problèmes qui survient avec une consommation élevée de glucides est que le pancréas doit sécréter de l'insuline beaucoup et souvent. Cette hyperinsulinémie, en plus d'augmenter le stockage de la graisse, peut entraîner une résistance à l'insuline, tel qu'expliqué dans le tome 1 de *Perdre du poids en mangeant du gras*, mais peut également entraîner une résistance à la leptine. Par ailleurs, les glucides de notre alimentation proviennent de plus en plus de produits transformés et ultratransformés. Ces produits sont habituellement riches en sucres simples et pauvres en fibres. Ce sont parmi les aliments les moins rassasiants qui existent.

Un cercle vicieux peut ainsi s'installer chez quelqu'un qui désire perdre du poids et qui adopte une alimentation hypocalorique encore plus faible en gras que la norme, pensant que c'est le gras qui fait grossir. Cette personne peut initialement perdre du poids, mais elle court le risque de ralentir son métabolisme, de stimuler le stockage de graisse, de réduire ses signaux de satiété et d'augmenter ses signaux de faim de manière chronique, à moyen et à long terme.

Autrement dit, cette personne mangerait beaucoup de glucides plusieurs fois par jour (ne dit-on pas que manger plusieurs petits repas par jour stimule le métabolisme ?), ce qui stimulerait la sécrétion d'insuline – l'hormone du stockage de la graisse –, entraînant ainsi une éventuelle résistance à l'insuline. Plus la personne est résistante à l'insuline, plus son pancréas doit en sécréter pour combattre cette résistance et plus le cerveau reçoit le message de stocker la graisse.

Le cortisol, l'hormone du stress

Le cortisol est une hormone que l'on sécrète lorsque l'on ressent un stress, qu'il soit physique ou psychologique. Il fait augmenter la quantité de glucose disponible, car le corps croit que l'on va devoir réagir physiquement au stresseur en se battant ou en fuyant, et il veut nous donner une énergie rapide. Un stress psychologique qui devient chronique, comme le manque de sommeil chronique, des soucis financiers ou des problèmes au travail, peut entraîner une élévation chronique du taux de sucre dans le sang, laquelle peut, à son tour, entraîner une sécrétion d'insuline. Bref, un taux chroniquement élevé de cortisol risque de mener à un taux chroniquement élevé d'insulinémie et, donc, à une résistance à l'insuline. Il est bien connu que l'utilisation prolongée de médicaments contenant une version synthétique du cortisol, comme de la prednisone, peut engendrer un diabète de type 2 et peut faire prendre du poids. Cette prise de poids est habituellement concentrée dans l'abdomen.

> ## VRAI OU FAUX ?
> ### Manger plusieurs petits repas par jour stimule le métabolisme.
>
> **Vrai. Mais il faut préciser que le principal métabolisme qui est stimulé par des repas fréquents et riches en glucides est le métabolisme du stockage de la graisse ! Ce n'est possiblement pas celui que vous désirez activer.**

OBÉSITÉ ET RÉSISTANCE À L'INSULINE

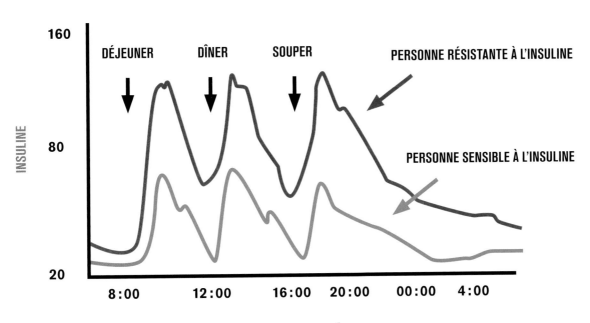

HEURES DE LA JOURNÉE

Deux personnes de même sexe, de même grandeur, de même âge et de même origine ethnique mangent un repas identique contenant, disons, 800 calories et 65 % de glucides. La première personne (en bleu) n'est pas résistante à l'insuline. La deuxième (en rouge) l'est. Il est entièrement possible que ces deux personnes mangent exactement le même repas et que la première maintienne son poids, mais que la deuxième grossisse. En effet, la deuxième personne, étant résistante à l'insuline, devra sécréter beaucoup plus d'insuline que sa collègue pour gérer exactement les mêmes macronutriments. Il y aura donc plus d'insuline qui stimulera le stockage de la graisse. L'obésité et la stéatose hépatique (le foie gras) qui l'accompagne souvent vont ensuite d'elles-mêmes perpétuer et aggraver la situation.

Entre les repas, on voit que l'insulinémie a le temps de redescendre chez la personne en bleu et qu'elle reste basse pendant la nuit, alors que chez la personne en rouge, on voit que l'insuline, même si elle redescend après les repas, demeure relativement élevée. Lorsque le taux d'insuline est bas, le corps a accès à ses réserves de graisse stockées et peut s'en servir comme source d'énergie. Cependant, si l'insuline en circulation dans le sang est élevée et le demeure de manière prolongée, l'accès aux réserves est bloqué. Le corps n'est pas en mode «utilisation des réserves», mais plutôt en mode «fabrication de réserves». C'est hormonal. Autrement dit, plus on est résistant à l'insuline, plus il est facile de prendre du poids et difficile de le perdre.

Un autre problème que l'on rencontre avec l'alimentation faible en gras à la mode depuis les années 80 est que les glucides, contrairement à ce que l'on pourrait croire, sont loin d'être aussi rassasiants que les protéines et les lipides, même ceux qui sont riches en fibres. C'est d'ailleurs l'une des premières améliorations notées par les personnes qui décident d'adopter une alimentation faible en glucides et riche en lipides : la satiété refait une apparition. Certains disent qu'ils ont retrouvé le fond de leur estomac, affirmant qu'ils n'avaient pas senti cela depuis très longtemps. Les gens se sentent donc plus rassasiés à la fin de leur repas, et cette satiété perdure plus longtemps et élimine le besoin de collations entre les repas. Elle permet même à la majorité de s'initier au jeûne intermittent ou prolongé. L'absence de collation et le jeûne permettent, à leur tour, de faire baisser le taux d'insuline en circulation dans le sang, ce qui donne entre autres accès aux réserves de graisse pour les brûler progressivement.

En résumé, pour perdre du poids, il ne faut pas simplement manger moins et bouger plus. Ce n'est pas un calcul mathématique de calories ingérées moins les calories dépensées. Si c'était si simple, et si cela fonctionnait vraiment à court et à long terme, nous serions tous déjà minces. La gestion du poids est bien davantage liée aux hormones qu'aux calories, et l'un des aspects clés de cette gestion est la satiété.

La dépendance
AU SUCRE

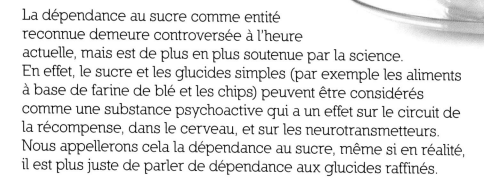

La dépendance au sucre comme entité reconnue demeure controversée à l'heure actuelle, mais est de plus en plus soutenue par la science. En effet, le sucre et les glucides simples (par exemple les aliments à base de farine de blé et les chips) peuvent être considérés comme une substance psychoactive qui a un effet sur le circuit de la récompense, dans le cerveau, et sur les neurotransmetteurs. Nous appellerons cela la dépendance au sucre, même si en réalité, il est plus juste de parler de dépendance aux glucides raffinés.

Qu'est-ce que la dépendance au sucre ?

Dépendance : processus par lequel un comportement permet d'accéder à un plaisir immédiat tout en réduisant une sensation de malaise interne. Elle s'accompagne d'une impossibilité à contrôler ce comportement, en dépit de la connaissance de ses conséquences négatives[1]. Il y a donc une perte de contrôle qui va bien au-delà de la volonté, et souvent le comportement s'accompagne de malaises physiques, d'un sentiment de culpabilité et de honte.

Scénario : vous vous levez le matin en vous disant «OK, aujourd'hui, je ne vais manger aucun sucre ni malbouffe», mais dès le milieu de l'avant-midi, vos pensées commencent à être envahies d'images et d'envies de quelque chose à manger en particulier, par exemple un muffin. Vous tenez le coup, mais vers midi, la faim vous tenaillant, vous mangez un repas plein de glucides, mais pas nécessairement sucré, comme une (ou plusieurs) pointe de pizza. Vers le milieu de l'après-midi, vous n'en pouvez plus et vous partez à la recherche de sucre, comme une tablette de chocolat. Au souper, puisque vous avez déjà «gâché» la journée, vous décidez de manger ce qui vous plaît, avec un dessert, et vous vous promettez que demain sera une journée sans tricherie. En soirée, vous avez encore envie de quelque chose de sucré, comme de la crème glacée, et vous vous dites que vous pouvez bien en prendre, puisqu'à partir de demain, vous n'en mangerez plus jamais. Et ce genre de journée se répète fréquemment dans votre vie, en particulier lorsqu'il y a des stresseurs, de la fatigue, des événements désagréables et des problèmes qui surviennent.

Pourtant, vous savez que le sucre et la malbouffe vous causent du surpoids, des sautes d'humeur, un diabète de type 2 ou autre, et ce n'est pas ce que vous souhaitez. Vous vous dites (et on vous dit) que vous manquez de volonté, et cela vous déprime et vous fait honte.

(1) Définition tirée du *Larousse*. Photos : Shutterstock.

Le circuit (ou système) de la récompense

Dans le cerveau, il existe un circuit de la récompense qui, grâce à la dopamine, associe des comportements à des sensations de satisfaction, favorisant ainsi l'adoption de ces comportements. Ce circuit est au cœur de nos activités mentales et, donc, de nos comportements.

Lorsque des personnes qui ont une dépendance au sucre en consomment, à l'instar des autres psychostimulants comme l'alcool et les opiacés, il y a une augmentation transitoire des taux de dopamine dans leur cerveau. La dopamine entraîne une sensation de bien-être, voire de bonheur. Les gens se sentent donc bien, mais cela est de courte durée. Éventuellement, il faudra d'autres apports en sucre pour se sentir bien à nouveau.

Les 3 phases de la dépendance au sucre

PHASE 1.

On consomme plus de sucre que ce que l'on voudrait, et on perd le contrôle sur la quantité que l'on ingère. La tolérance s'installe, et donc il en faut de plus en plus pour obtenir la même satisfaction. On est constamment en débat intérieur avec soi-même, mais cela ne paraît pas encore de l'extérieur ni du point de vue de nos proches.

EXEMPLES : se sentir soulagé pendant que l'on mange certains aliments et rechercher ce soulagement, consommer de très grands volumes de certains aliments, se sentir coupable de ce que l'on a mangé, cacher des aliments et les manger sournoisement, s'inquiéter constamment de son poids et de la nourriture, essayer des régimes amaigrissants et même des pilules, faire beaucoup plus d'exercice pour compenser, etc.

EXEMPLES : régimes « yo-yo », poids qui augmente sans cesse, se peser tous les jours, utiliser des laxatifs ou autres moyens pour tenter de perdre du poids, pertes de contrôle quotidiennes par rapport à la nourriture, se faire constamment des promesses à soi-même que l'on ne tient pas, commentaires des proches qui s'inquiètent de la prise de poids et/ou de la consommation de nourriture, être obsédé par la nourriture et son propre poids, etc.

PHASE 2.

On commence à avoir des symptômes physiques et psychologiques, comme des sautes d'humeur et de la fatigue, un brouillard mental, etc. On s'analyse et on se trouve des excuses pour expliquer les symptômes que l'on ressent. Le problème commence à être biologique, psychologique et social.

PHASE 3.

La vie tourne autour de la nourriture, celle que l'on mange et celle que l'on évite. On se lance dans des régimes de tous genres et on songe à des mesures plus drastiques. On sait qu'on aurait besoin d'aide, mais on ne sait pas comment expliquer ce qui se passe. Les symptômes physiques peuvent se manifester de manière plus prononcée, comme des douleurs chroniques, un diabète de type 2, etc. On a espoir de trouver bientôt un remède miracle, comme LA bonne diète ou LA bonne chirurgie.

EXEMPLES : se réveiller la nuit pour manger, avoir honte de son corps, se surentraîner, aller consulter un thérapeute ou un médecin, accepter de mettre son nom sur la liste d'attente de la chirurgie bariatrique, vivre des problèmes dans les relations à la maison et au travail, ressentir des symptômes de dépression et autres symptômes physiques, recommencer un régime strict tous les matins sans tenir une seule journée complète, inventer des mensonges pour expliquer ses gestes, etc.

Comment se défaire d'une dépendance au sucre ?

Vous devez arrêter de manger des glucides raffinés, et mieux vaut le faire subitement que progressivement, car cela entretient le problème.

1. Adoptez une alimentation faible en glucides ou cétogène bien formulée et riche en nutriments, sans essayer de réduire les calories. Faites-vous un plan de ce que vous pouvez manger. Pour ce faire, vous pouvez utiliser un plan de repas et les recettes du tome 1 de *Perdre du poids en mangeant du gras*. Videz votre garde-manger et votre réfrigérateur de tous les aliments déclencheurs. La préparation est la clé.

2. À chaque repas, vous devez manger jusqu'à ressentir très clairement la satiété. Essayez de manger en pleine conscience et de prendre le temps de bien goûter et d'apprécier vos aliments.

3. Lisez sur le sujet. Les connaissances sont de puissants alliés.

4. Trouvez un professionnel de la santé qui a de l'expérience avec les dépendances et joignez-vous à un groupe de soutien en ligne, par exemple sur Facebook.

5. Apprenez des techniques de gestion du stress et des déclencheurs, comme une technique de respiration.

6. Prévoyez des substituts en cas de rage. Par exemple, ayez sur vous en tout temps un petit sac contenant une poignée d'amandes pour les manger en cas d'urgence à la place d'un muffin au café du coin.

Les symptômes du sevrage aux sucres et glucides raffinés les plus souvent rapportés par les patients sont les suivants :

- Fatigue
- Petites nausées
- Agitation intérieure
- Maux de tête
- Crampes musculaires
- Sautes d'humeur
- Troubles digestifs
- Ballonnements ou impression d'être enflé dans tout le corps
- Bouffées de chaleur ou frissons
- Sommeil perturbé ou trop de sommeil
- Peau qui pique sur tout le corps ou à certains endroits

Ces symptômes peuvent survenir quelques heures après la dernière consommation et peuvent durer de quelques jours à quelques semaines. Cela peut faire partie de la période d'adaptation ou du « keto flu » lorsque l'on passe d'une alimentation riche en glucides à une alimentation faible en glucides. Il est important de boire suffisamment d'eau et de consommer du sel pendant cette période, tel qu'expliqué dans le tome 1. Certaines personnes sont aidées par l'ajout d'un peu de gras de coco dans le café durant la journée.

Pour certaines personnes dépendantes au sucre, l'adoption d'une alimentation faible en glucides ou cétogène pourrait être suffisante pour amorcer le sevrage et régler le problème. Il est fréquent que de véritables « bibittes à sucre » rapportent qu'elles n'ont même plus envie de sucre ni de leurs anciens aliments glucidiques raffinés, à leur grand étonnement.

Pour d'autres personnes, par contre, le changement d'alimentation ne sera pas suffisant et les pensées envahissantes, les rages et les « triches » demeureront présentes. Dans ces cas, il est fortement recommandé de consulter un professionnel de la santé qui est formé en dépendances et/ou en troubles des comportements alimentaires (par exemple, le Programme LoriCorps de la Mauricie-et-du-Centre-du-Québec).

Les rechutes

Les rechutes peuvent survenir même chez les personnes pour qui le sevrage s'est le mieux passé. Si cela vous arrive, ne vous tapez pas sur la tête. Communiquez avec votre groupe de soutien, ne suranalysez pas la situation et retournez rapidement dans l'action. Pour reprendre une alimentation faible en glucides ou cétogène, vous pouvez décider de faire un jeûne de 24 ou de 36 heures (s'il n'y a pas de contre-indication). Cela est habituellement assez efficace pour enrayer les envies de sucre qui surviennent suite à la consommation de glucides raffinés (les corps cétoniques sont des coupe-faim naturels).

Si vous croyez avoir une dépendance au sucre et que cela a des effets indésirables sur votre santé et votre bien-être, vous n'êtes pas seul. La première étape est sans doute de reconnaître qu'il y a un problème et d'être honnête envers vous-même. Ensuite, il faut être prêt à changer et à entreprendre des démarches pour aller mieux. L'étape suivante est le passage à l'action (trouver un groupe d'aide ou un professionnel de la santé, se faire un plan alimentaire, etc.). Il est possible de s'en sortir et de se libérer. N'en doutez pas et, surtout, ne doutez pas de vous.

SOURCES

- *Food Addiction Institute* (organisme américain), foodaddictioninstitute.org.

- Bitten Jonsson, infirmière et conseillère en dépendances certifiée ADDIS et SUGAR®, Suède.

- Classification statistique internationale des maladies de l'Organisation mondiale de la santé.

- «Effects of dietary glycemic index on brain regions related to reward and craving in men», *The American Journal of Clinical Nutrition*, Volume 98, Numéro 3, 1er septembre 2013, pages 641–647.

LE CHOLESTÉROL

L'alimentation faible en glucides et cétogène est plus riche en lipides que l'alimentation standard recommandée depuis les dernières décennies. De ce fait, plusieurs s'inquiètent qu'un apport augmenté en lipides se traduise par une augmentation du cholestérol sanguin. Il convient donc de faire la part des choses et de clarifier certaines notions.

Le cholestérol a longtemps eu mauvaise réputation, car il était associé aux infarctus, aux accidents cérébrovasculaires et aux autres maladies cardiovasculaires. Pourtant, le cholestérol est une substance vitale aussi nécessaire à la vie humaine que l'est l'oxygène. Il aide à la fabrication de cellules et d'hormones, entre autres. En fait, il est tellement vital que s'il n'est pas consommé en quantité suffisante dans notre alimentation, le foie en générera davantage. La American Heart Association a même décrété, il y a quelques années, que les données scientifiques actuelles ne démontrent aucun lien significatif entre le cholestérol ingéré et le taux de cholestérol sanguin.

Inutile, donc, de bannir les œufs, la viande, les fruits de mer et les produits laitiers entiers de votre alimentation.

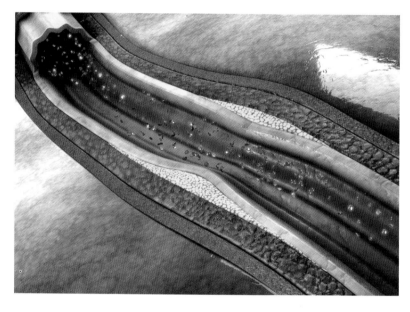

La santé cardiovasculaire

Comment étudions-nous la santé cardiovasculaire ? Nous faisons des études, idéalement de longue durée et randomisées, et nous observons la survenue de crises de cœur, d'AVC et de décès. Nous essayons ainsi de déterminer ce qui cause la maladie cardiovasculaire. Cela n'est pas toujours pratique ni faisable. Alors, nous nous basons en plus sur des études observationnelles, lesquelles, malheureusement, donnent souvent des résultats conflictuels (une étude dit une chose, une autre dit le contraire), et il est difficile de limiter les variables confondantes. Avec ces études, nous tentons de déterminer s'il existe une association entre un facteur de risque et une maladie.

Nous avons également recours à des marqueurs ou des critères de substitution, comme la tension artérielle, le bilan lipidique, la glycémie et l'insulinémie. Les études semblent notamment indiquer que les personnes dont la tension artérielle est élevée ont plus de risques de faire un infarctus. Cependant, on sait aussi que ce n'est pas parce que la tension artérielle est élevée que l'on va nécessairement faire un infarctus, et que certaines personnes peuvent faire un infarctus malgré une tension artérielle normale.

Le bilan lipidique, ou bilan de cholestérol, est l'un de ces marqueurs de substitution qui est considéré comme un facteur de risque de maladie cardiovasculaire, mais c'est loin d'être le seul.

(1) Diabetes Ther (2018) https://doi.org/10.1007/s13300-018-0373-9. Nutrition and Diabetes 2017.7:304. Am J Clin Nutr 2009.90.23-32. NEJM 2003:348:2074-2081. J Clin Endocrinol Metab 2003.88:1617-23. Arch Intern Med 2004.1164:2141-6. Ann Intern Med 2004 May 18.140(10):769-77. Clin Endo Metab 2004.89.2717-23. JACC 2008.51.59-67. (2) https://www.ncbi.nlm.nih.gov/

Le bilan lipidique standard

Lorsque votre médecin vous fait faire un bilan sanguin, il peut décider de vérifier votre cholestérol, selon votre âge et vos facteurs de risque. Au Québec, cela signifie que l'on mesurera le cholestérol total, le cholestérol LDL, le cholestérol HDL, les triglycérides et le cholestérol non-HDL. De manière standard, on s'intéresse presque exclusivement au cholestérol LDL, que l'on appelle le «mauvais cholestérol». S'il est plus élevé que les normes attendues selon un calcul effectué avec d'autres facteurs de risque, votre médecin peut vous suggérer la prise d'un médicament que l'on appelle «statine».

Le sujet du cholestérol est complexe et ses mécanismes ne font pas l'unanimité au sein de la communauté scientifique internationale. Nous allons résumer très succinctement ce qui nous apparaît comme les données les plus à jour en la matière.

Cholestérol total : il s'agit d'un calcul mathématique qui inclut autant le «bon» que le «mauvais» cholestérol et qui, en soi, ne constitue plus un marqueur utile pour évaluer la santé cardiovasculaire. Il peut être utile pour calculer des ratios.

Cholestérol LDL : il est aussi appelé le «mauvais cholestérol». Le LDL peut augmenter légèrement avec la consommation de gras saturés et/ou avec l'adoption d'une alimentation faible en glucides ou cétogène. Des études ont démontré que l'augmentation des LDL pouvait être de la hauteur de 7 à 10 % (sans changement au niveau de l'ApoB), mais que cela rentrait souvent dans l'ordre après un an [1]. Une étude de 10 sujets qui ont adopté une alimentation cétogène pour des raisons médicales et qui a duré 10 ans a même conclu qu'il n'y avait aucune différence significative dans les facteurs de risque de maladie cardiovasculaire et que le bilan de cholestérol des sujets était comparable à celui des contrôles [2].

Il semblerait aussi que les LDL deviennent larges et floconneux (non athérogènes), plutôt que d'être petits et denses (athérogènes). Les études semblent également indiquer que le LDL n'est pas le meilleur prédicteur de problèmes de santé cardiovasculaire et qu'il ne devrait sans doute pas être pris isolément. Certains lipidologues américains s'entendent pour dire que le LDL est nécessaire à la formation de plaques dans les artères, mais qu'il n'est pas suffisant en soi.

Cholestérol HDL : il est aussi appelé le «bon cholestérol». Un faible taux de «bon» cholestérol est l'un des critères diagnostiques du syndrome métabolique. Avoir un faible taux de «bon» cholestérol et/ou un syndrome métabolique est un facteur de risque de maladie cardiovasculaire. Le cholestérol HDL augmente habituellement chez les personnes qui ont une alimentation faible en glucides, ce qui est un facteur de protection cardiovasculaire.

Triglycérides : un taux élevé de triglycérides (TG) est aussi un critère de syndrome métabolique et un facteur de risque de maladie cardiovasculaire. Les TG chutent de manière significative chez la majorité des personnes qui ont une alimentation faible en glucides.

La plupart des médecins qui utilisent l'alimentation faible en glucides comme traitement pour leurs patients ayant des problèmes de santé liés au style de vie, comme le diabète de type 2, préfèrent calculer des ratios entre les divers éléments du bilan lipidique.

Par exemple, le ratio TG:HDL, avec le taux de TG, était la variable indépendante la plus puissante pour prédire la maladie cardiovasculaire dans une étude [3]. Les ratios total:HDL et LDL:HDL ont également été démontrés comme des indicateurs de risque ayant une valeur prédictive supérieure aux paramètres isolés utilisés de manière indépendante, en particulier les LDL pris isolément [4].

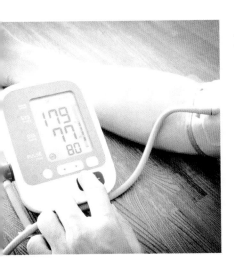

Le syndrome métabolique

Ce syndrome est de plus en plus souvent appelé «syndrome d'hyperinsulinémie et résistance à l'insuline». Il faut 3 critères et plus pour avoir ce diagnostic :

- Tension artérielle ≥ 130/85 ou sous hypotenseur

- Glucose sanguin ≥ 5,6 mmol/L ou sous hypoglycémiant

- Triglycérides ≥ 1,7 mmol/L ou sous médicament

- HDL («bon» cholestérol) < 1,0 mmol/L chez les hommes et < 1,3 mmol/L chez les femmes)

- Tour de taille ≥ 102 cm chez les hommes et ≥ 88 cm chez les femmes (caucasiens)

Les autres facteurs de risque de maladie cardiovasculaire

L'inflammation systémique est de plus en plus reconnue comme étant un important facteur de risque de maladie cardiovasculaire[5]. En général, l'alimentation faible en glucides et cétogène abaisse les taux des marqueurs d'inflammation systémique.

La tension artérielle

Il est bien connu qu'une tension artérielle élevée est un important facteur de risque de maladie cardiovasculaire. Ce qui est moins connu, c'est que l'hyperinsulinémie et l'hyperglycémie peuvent faire monter la tension artérielle. Chez une majorité de personnes ayant adopté une alimentation faible en glucides (mais pas chez toutes), la tension tend à se normaliser. En clinique, il arrive fréquemment que les médecins doivent réduire ou cesser les médicaments hypotenseurs.

Le taux de sucre dans le sang (glycémie)

Un taux de sucre sanguin élevé est l'un des critères diagnostiques du syndrome métabolique et l'un des principaux facteurs de risque de maladie cardiovasculaire. Les personnes diabétiques sont de deux à quatre fois plus à risque de développer une maladie cardiovasculaire, et celle-ci est la principale cause de décès chez les personnes diabétiques[6].

L'alimentation faible en glucides ou cétogène peut aider à renverser le diabète de type 2 et à améliorer les taux de sucre dans le sang. Chez un grand nombre de patients très motivés, cette alimentation donne de meilleurs résultats que les médicaments, sans leurs effets secondaires et leur coût.

L'obésité, le surpoids et le tour de taille élevé

Ces trois éléments sont des facteurs de risque, en particulier lorsqu'il y a beaucoup de gras dans la cavité abdominale ainsi qu'autour et à l'intérieur des viscères. L'alimentation faible en glucides ou cétogène peut aider à perdre du poids et améliorer le tour de taille. Plusieurs études ont démontré que la perte de poids était plus importante avec l'alimentation faible en glucides qu'avec l'alimentation faible en gras, mais ce sujet est controversé. Il semble cependant que la majorité des experts dans le domaine s'entendent pour dire que l'alimentation saine la plus efficace est d'abord et avant tout celle à laquelle les gens peuvent adhérer à long terme, qu'elle soit faible en gras, végétarienne, céto-méditerranéenne ou autre. Et un nombre de plus en plus grand de personnes adopte l'alimentation faible en glucides à long terme parce que c'est ce qu'elles préfèrent.

(5) BMJ 2015;351:h3978. *Br J Sports Med.* 2017 Aug;51(15):1111-1112. NEJM 2002;347:1557-1565.
(6) Diabète Québec. (7) Circulation, Vol. 93, No. 10, Insulin Sensitivity and Atherosclerosis. Photos : Shutterstock.

La résistance à l'insuline

La résistance à l'insuline est associée à une augmentation du risque d'athérosclérose et de formation de plaques dans les artères [7]. L'insuline est une hormone sécrétée principalement lorsque l'on consomme des glucides. On en sécrète également lorsque l'on consomme des protéines, mais en moins grande quantité. Une alimentation faible en glucides permet souvent d'aider à réduire l'hyperinsulinémie et, avec le temps, elle peut aider à renverser la résistance à l'insuline.

Autres

Il existe plusieurs autres facteurs de risque, comme le tabagisme, la sédentarité, le stress, l'absence de réseau social, le sommeil insuffisant ou de mauvaise qualité, les antécédents familiaux et personnels, l'âge, le sexe et l'origine ethnique. Certains sont modifiables, alors que d'autres ne le sont malheureusement pas.

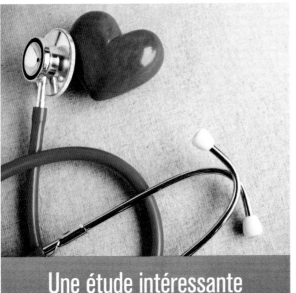

Une étude intéressante de décembre 2018

Une revue systématique et une méta-analyse ont été effectuées pour comparer les effets de l'alimentation très faible, faible et modérée en glucides et riche en lipides (LC) à une alimentation riche en glucides et faible en gras (LF) sur le cholestérol LDL et d'autres marqueurs lipidiques chez des adultes en surpoids ou obèses. Huit essais randomisés contrôlés d'au moins 6 mois (n=1633; 818 pour LC et 815 pour LF) ont été inclus.

Résultats : la restriction de glucides semble supérieure dans l'amélioration des marqueurs lipidiques, en comparaison avec une alimentation faible en gras. Les lignes directrices en matière de nutrition devraient considérer la restriction glucidique comme stratégie alternative dans la prévention et la prise en charge de la dyslipidémie au sein des populations ayant des facteurs de risque de maladies cardiométaboliques [8].

Une vue d'ensemble

Il est certes possible que le cholestérol LDL augmente chez les personnes qui adoptent une alimentation faible en glucides ou cétogène. Même si les études semblent indiquer que cette augmentation est de l'ordre de 7 à 10 % et qu'elle tend à disparaître après un an et une fois qu'un poids stable est atteint, il demeure pertinent d'évaluer la santé cardiovasculaire et les facteurs de risque de maladie cardiovasculaire dans leur ensemble, et non de se concentrer uniquement sur un chiffre, soit la valeur des LDL d'une prise de sang à un moment donné.

En clinique, il est fréquent de voir des patients qui ont perdu plus de 10 % de leur poids initial, qui ont réduit leur tour de taille (et donc perdu du gras intra-abdominal/viscéral), qui ont réduit leurs marqueurs inflammatoires, qui ont amélioré leur tension artérielle, qui ont réduit leur résistance à l'insuline, qui ont un excellent ratio de triglycérides:HDL et qui ont une meilleure énergie, devenant ainsi plus actifs. Si ces patients ont une augmentation de 10 % de leur LDL (et que les ratios calculés nous permettent de supposer que les particules sont larges et floconneuses), quelle est la signification exacte de cette augmentation par rapport à l'amélioration des autres facteurs de risque ? Cela est difficile à quantifier avec exactitude, mais il est possible que ces patients soient maintenant en bien meilleure santé globale, et plus particulièrement en meilleure santé cardiovasculaire.

AVERTISSEMENT

Si vous avez des inquiétudes par rapport à votre bilan de cholestérol ou aux médicaments qui vous ont été prescrits, nous vous recommandons fortement d'en discuter avec votre médecin de famille afin qu'il vous aide à prendre une décision éclairée.

Ne cessez jamais un médicament prescrit sans l'avis de votre médecin !

(8) Effects of carbohydrate-restricted diets on low-density lipoprotein cholesterol levels in overweight and obese adults: a systematic review and meta-analysis. *Nutrition Reviews*. nuy049.

LES NITRITES ET LES NITRATES
DES CHARCUTERIES

Les nitrates et les nitrites sont des types de sel utilisés depuis des millénaires pour préserver la viande, l'empêchant de devenir rance ou contaminée de bactéries pouvant notamment causer la salmonellose, la listériose et le botulisme. De nos jours, les nitrates et les nitrites ajoutés aux charcuteries peuvent être purifiés industriellement ou extraits de céleri, par exemple. Dans un cas comme dans l'autre, ce sont les mêmes molécules.

Il est pertinent de savoir d'où proviennent réellement les nitrites et les nitrates que nous ingérons. L'apport quotidien en nitrates provenant des aliments varie selon le régime alimentaire et est beaucoup plus élevé chez les végétariens. En effet, la principale source de nitrites et de nitrates provient des légumes verts, en particulier les légumes verts feuillus. Près de 80 à 85 % des nitrates que nous consommons proviennent des légumes. La deuxième source la plus importante serait l'eau potable. Selon l'INSPQ (Institut national de santé publique du Québec), ces niveaux sont très faibles dans la grande majorité des villes au Québec, mais cela varie d'une région à l'autre. Il y en a davantage dans les régions où les activités agricoles sont plus intenses, puisque les nitrates et les nitrites entrent dans la composition d'engrais. La troisième source provient des charcuteries.

Concentration en nitrates et nitrites

Roquette : 2 597 mg/kg

Épinards : 2 137 mg/kg

Betteraves : 1 459 mg/kg

Bacon de flanc : 120 mg/kg

D'où vient notre inquiétude ?

Dans les années 1960-70, des études épidémiologiques de faible qualité avaient conclu que les nitrites et les nitrates pouvaient causer le cancer, en particulier le cancer de l'estomac. Ces études avaient fait beaucoup de bruit dès leur publication et avaient entraîné des changements rapides dans la loi aux États-Unis. Mais elles ne démontraient qu'une potentielle association, sans établir de causalité. Aucune des nombreuses études subséquentes n'a pu démontrer de lien de causalité entre les nitrites et nitrates et le cancer.

En fait, si les nitrites et les nitrates ne sont pas cancérigènes en soi, ils peuvent le devenir lorsqu'ils se lient avec des acides aminés, puisqu'ils produisent alors des composés N-nitrosés, comme des nitrosamines. Ces composés sont considérés comme cancérigènes. La cuisson à haute température, comme la friture, peut accélérer grandement la formation de nitrosamines. C'est pourquoi les produits de salaison, dont le bacon et le jambon, doivent contenir des antioxydants, telle la vitamine C, pour neutraliser les composés cancérigènes. Les fruits et les légumes contiennent naturellement des antioxydants qui peuvent neutraliser les composés N-nitrosés. Il est à noter que la cuisson des légumes réduit significativement leur teneur en antioxydants et que cela varie selon la méthode de cuisson.

Des gastroentérologues britanniques ont découvert, en 1989, qu'un estomac humain sain (non atteint de gastrite chronique) sécrète une quantité appréciable d'acide ascorbique (forme réduite de la vitamine C), ce qui prévient la formation endogène de nitrosamines lorsque nous ingérons des nitrates et des nitrites. Notre corps semble donc conçu pour pouvoir gérer de manière sécuritaire les nitrites et les nitrates de notre alimentation.

Notre principale source d'exposition aux nitrites demeure cependant notre propre salive, qui compte pour 70 à 97 % de notre exposition totale. En effet, quand nous consommons des légumes qui contiennent des nitrates, par exemple, une partie de ces nitrates est transformée en nitrites par les bactéries de notre bouche, alors que le reste est avalé et entreposé dans le corps pour une utilisation ultérieure. Les nitrates peuvent être retournés aux glandes salivaires et devenir des nitrites grâce à la flore buccale, ou peuvent être excrétés dans l'urine. Notre propre corps fabrique également plus de nitrites que ce que nous consommons, soit environ 1 mg/kg/jour, selon l'INSPQ.

Les nitrites qui circulent peuvent être réduits en oxyde nitrique (NO) par différents enzymes. Le NO est un gaz qui agit comme une molécule de signalisation et qui est impliqué dans la régulation de la circulation sanguine ainsi que dans plusieurs autres fonctions du corps humain. Le NO provoque une dilatation des artères et des veines et améliore la circulation sanguine, ce qui aide dans les cas d'hypertension artérielle, d'hypertension pulmonaire et de dysfonction érectile, notamment.

Conclusion

Puisque la science ne semble pas mettre en évidence un lien de causalité entre les nitrates/nitrites et divers types de cancer et, qu'au contraire, ils peuvent être bénéfiques lorsqu'ils sont réduits en oxyde nitrique, est-ce que cela signifie que l'on peut et devrait manger du bacon ainsi que des charcuteries trois fois par jour, tous les jours ? Non. Il demeure important de viser une alimentation faible en glucides équilibrée et variée, contenant les aliments et les ingrédients de la meilleure qualité que l'on puisse se permettre, en variant les méthodes de cuisson et en achetant local et frais dans la mesure du possible. L'alimentation faible en glucides et/ou cétogène vise à améliorer la santé métabolique et globale, et cela requiert divers micronutriments provenant d'une alimentation variée et équilibrée.

Pour en savoir plus sur les nitrites et les nitrates, vous pouvez consulter l'article « Les effets des nitrates et nitrites sur le système cardiovasculaire » du Dr Martin Juneau, cardiologue, sur le site Web observatoireprevention.org.

LE SOMMEIL

Votre sommeil est-il de qualité et de durée adéquates pour vous aider à atteindre vos objectifs de santé et de poids santé ?

On recommande aux adultes de dormir huit heures par nuit, mais près du tiers des adultes nord-américains dorment en moyenne moins de six heures. Or, un sommeil de moins de six heures par nuit, à long terme, est associé à un affaiblissement du système immunitaire, à une augmentation des risques de maladie d'Alzheimer, à des troubles de concentration, à une perturbation des taux de sucre sanguins (pouvant mener au diabète), à un accroissement des risques de formation de plaques dans les artères (infarctus, AVC), à une augmentation des risques de certains cancers, à une exacerbation de toutes les maladies mentales incluant l'anxiété et la dépression, à une augmentation des signaux hormonaux de faim et une diminution des signaux de satiété, à une augmentation du cortisol, etc.

Le surpoids et le manque de sommeil

Selon plusieurs études populationnelles, il existe un lien entre le surpoids et le manque de sommeil chronique, qui se situerait autour de 7 heures et moins par nuit. Une étude bien de chez nous, l'étude des familles de Québec (QFS), a même montré une augmentation de 27 % du risque de faire de l'embonpoint chez les gens chroniquement carencés en sommeil. Plus la carence est importante, plus les risques semblent augmenter, allant jusqu'à 91 % pour les gens qui dorment régulièrement moins que 5 heures par nuit.

Le circuit de la récompense

Le manque de sommeil a également un impact significatif sur le circuit de la récompense (voir la section sur la dépendance au sucre à ce sujet aux pages 44 à 47) en perturbant les connexions entre ce circuit et le cortex frontal, où siègent, entre autres, les fonctions exécutives. Cela peut aggraver les comportements de dépendance à la nourriture ou à d'autres substances psychoactives.

Le manque de sommeil est un stress

Il faut comprendre que le manque de sommeil est un puissant stresseur pour le corps. Comme tous les stresseurs négatifs, il entraîne la sécrétion de l'hormone du stress, le cortisol, lequel, en retour, fait augmenter les taux d'insuline et de sucre sanguins. Le but de cette augmentation est de nous garder sur un pied d'alerte et de nous donner l'énergie nécessaire pour réagir physiquement face au stresseur, en se battant ou en fuyant. Le cerveau moderne ne fait pas vraiment la distinction entre un stresseur physique (exemple : un ours vous pourchasse) et un stresseur mental (exemple : des soucis financiers). Il présume que le corps aura une action physiquement exigeante à entreprendre, donc il stimule le système et donne du glucose aux muscles pour qu'ils aient de l'énergie.

Il y a donc moins d'énergie qui est disponible pour le cerveau et les fonctions cognitives, ce qui contribue au brouillard mental que l'on peut ressentir quand on manque de sommeil. Une insulinémie et une glycémie chroniquement augmentées en réponse à un manque de sommeil chronique peuvent entraîner, à la longue, une résistance à l'insuline et, éventuellement, un diabète de type 2 ou autre maladie liée au style de vie.

Comment améliorer votre hygiène de sommeil

- Si vous avez de la somnolence le jour malgré un nombre d'heures adéquat de sommeil, demandez à votre médecin de vous prescrire un dépistage d'apnée du sommeil.

- Ne buvez pas de boisson contenant de la caféine après 14 h, dans la mesure du possible.

- Ne buvez pas trop de liquide avant d'aller vous coucher pour éviter d'avoir à uriner pendant la nuit.

- Ne regardez pas des écrans dans les heures qui précèdent votre coucher. Si vous devez absolument le faire, munissez-vous de lunettes qui bloquent la lumière bleue.

- Prévoyez environ 8 heures de sommeil par nuit.

- Essayez d'avoir toujours la même routine avant de dormir et essayez d'aller au lit aux mêmes heures.

- Dormez dans une pièce très sombre, bien aérée et légèrement fraîche.

- Au besoin, portez un masque sur vos yeux.

- Portez des vêtements confortables.

- Veillez à ce que votre oreiller et votre matelas soient confortables.

- N'ayez pas de télévision ou d'ordinateur dans votre chambre.

- Dans la mesure du possible, essayez d'optimiser votre hygiène de sommeil avant de songer aux médicaments. Ceux-ci, tout comme l'alcool, perturbent l'architecture du sommeil (les phases de sommeil, leur durée et leur profondeur). Le sommeil est donc de moins bonne qualité.

- Si votre hygiène de sommeil est optimale, mais qu'il vous est difficile de tomber endormi, essayez la méditation pleine conscience et des techniques de respiration ou d'imagerie mentale. Voici deux applications à essayer : Petit BamBou et CBT-i Coach.

- Si vous croyez souffrir d'anxiété et que c'est le « hamster qui tourne dans sa roulette » qui vous empêche de dormir, il serait souhaitable de consulter un psychologue pour apprendre à réduire et mieux gérer votre anxiété.

- Pratiquez de l'activité physique régulière afin de vous aider à améliorer la qualité de votre sommeil.

- Essayez les suppléments de magnésium, qui sont habituellement recommandés avec l'alimentation faible en glucides ou cétogène. Ils peuvent aider à mieux dormir.

L'impact sur les hormones de faim et de satiété

Par ailleurs, les principales hormones qui régulent la satiété (leptine) et la faim (ghréline) – voir la section sur la satiété à ce sujet aux pages 40 à 43 – peuvent également être perturbées par le manque de sommeil. Normalement, la leptine augmente pendant le sommeil, alors que la ghréline diminue, ce qui supprime la faim. Cependant, lorsqu'il y a une carence chronique en sommeil, les niveaux de leptine peuvent descendre et ceux de la ghréline peuvent augmenter. Résultat : la satiété diminue et la faim augmente. Avez-vous déjà remarqué que vous aviez davantage envie de manger après une mauvaise nuit (multiples réveils) ou une nuit trop courte ? C'est hormonal.

Si vous êtes dans un processus de perte de poids ou de renversement du diabète de type 2, par exemple, il est extrêmement important de veiller à avoir un sommeil de qualité et de durée adéquates. Sinon, vos efforts risquent fort d'être sabotés.

Conclusion

En clinique, les carences chroniques en sommeil sont fréquemment la cause des plateaux de perte de poids, des glycémies qui demeurent élevées et de la fatigue chronique qui ne s'améliore pas, malgré l'adoption d'une alimentation faible en glucides. Le sommeil est réellement l'une des pierres angulaires de la santé et fait partie des saines habitudes de vie à optimiser et à prioriser, tout comme l'est l'alimentation. Donnez-vous les moyens de mieux dormir et vous ressentirez la différence !

Céto SUR LA ROUTE

Lorsque l'on change nos habitudes, il est vraiment plus facile de le faire en s'établissant une routine. Idéalement, nous planifierions nos repas à l'avance et les dégusterions à la maison ou au bureau.

Mais comme ça ne se passe pas toujours comme prévu, il se peut que nous ayons à manger sur la route, ou encore à nous adapter aux réunions de bureau ou d'affaires, ou que nous ayons à manger dans l'auto !

Voici quelques trucs pour ne pas déroger à notre belle discipline.

Évitez la panure ! Les croquettes de poulet, les fondues parmesan et les bâtonnets de fromage sont farinés. Si vous n'avez pas le choix d'en manger, tentez de retirer la panure le plus possible.

En restauration rapide

Trois mots : viande, fromage et légumes ! En vous en tenant à ces trois catégories, il vous sera facile de bien manger céto. Un burger fromagé sans le pain, une salade avec viande sans les croûtons… Vous pouvez aussi demander un extra avocat ou un extra bacon. Évitez les sauces sucrées comme celles au chili et à la moutarde au miel. Privilégiez la sauce ranch, la sauce César et la sauce au fromage bleu. Vous pensez ne pas avoir assez de gras dans votre repas ? Ajoutez du beurre dans votre café !

Dans l'auto

Si vous avez la possibilité d'avoir une glacière électrique dans votre voiture, vous aurez plus d'options d'aliments à emporter ! Gardez-y du fromage, des viandes froides et des charcuteries en tout temps lors de vos déplacements. Sinon, certains bâtonnets de pepperoni trouvés dans les dépanneurs contiennent peu de glucides.

Vous pouvez aussi avoir à portée de main des œufs dans le vinaigre bien conservés dans un pot Mason. J'aime bien aussi avoir dans mon coffre à gants un contenant rempli de ma recette de noix mélangées. Les barres tendres maison sont aussi un excellent choix !

15 min   **8 min**   **8 portions**

Noix mélangées à la Buffalo

500 ml (2 tasses) de noix au choix mélangées (pacanes, amandes, noix de Grenoble…)

30 ml (2 c. à soupe) de beurre

30 ml (2 c. à soupe) de sauce piquante (de type Frank's)

20 ml (4 c. à thé) de piment de Cayenne

1,25 ml (¼ de c. à thé) de poudre d'oignons

1,25 ml (¼ de c. à thé) de poudre d'ail

Sel au goût

1. Préchauffer le four à 180 °C (350 °F).

2. Dans un bol, mélanger tous les ingrédients. Déposer sur une plaque de cuisson tapissée de papier parchemin.

3. Cuire au four de 8 à 12 minutes, en remuant quelques fois. Retirer du four et laisser refroidir.

Ce mélange de noix procure 3 g de glucides nets par portion.

COMMENT AJOUTER DU GRAS
à son alimentation

Voici un tableau des équivalences en gras fort utile pour vous aider à ajouter des lipides à votre alimentation. Vous pouvez mélanger vos sources de gras lors d'un même repas ou d'une même collation. N'oubliez pas que le gras est une source d'énergie et qu'il aide à la satiété. Il est recommandé de consommer juste assez de lipides à chaque repas pour atteindre la satiété, ne pas ressentir la faim entre les repas (et donc ne pas avoir besoin de collations) et avoir une belle énergie tout au long de la journée.

ALIMENTS	QUANTITÉ	GRAMMES DE LIPIDES
AMANDES	10 noix	6 g
AVOCAT	1 avocat	30 g
BACON	1 tranche	3 g
BEURRE D'AMANDE	1 cuillère à soupe	10 g
BEURRE D'ARACHIDE	1 cuillère à soupe	8 g
BŒUF HACHÉ MI-MAIGRE	3 oz	16 g
CRÈME 35 %	1 cuillère à soupe	5 g
FROMAGE BRIE	3 oz	28 g
HUILE DE NOIX DE COCO	1 cuillère à soupe	14 g
HUILE D'OLIVE	1 cuillère à soupe	14 g
NOIX DE MACADAM	10 noix	21 g
ŒUF	1 œuf	5 g
PACANES	10 noix	20 g

BOUILLON D'OS

Voici un élément clé de l'alimentation cétogène, que ce soit pour les périodes de jeûne ou tout simplement pour se faire plaisir !

15 min   **24 heures**   **4 portions**

900 g (2 lb) d'os de bœuf

30 ml (2 c. à soupe) de vinaigre de cidre

1 cube de gingembre de 2,5 cm (1 po)

2 carottes coupées en rondelles

2 branches de céleri émincées

2 gousses d'ail pelées

1 oignon haché

Thym frais au goût

Romarin frais au goût

Bouillon d'os de bœuf

1. Dans une casserole, déposer tous les ingrédients. Couvrir d'eau et porter à ébullition. Cuire de 24 à 48 heures, en ajoutant de l'eau au besoin et en écumant quelques fois en cours de cuisson.

2. Retirer du feu et enlever les os de la casserole. Laisser refroidir complètement et retirer le gras sur le dessus du bouillon.

3. À l'aide d'une passoire fine, filtrer la préparation afin de récupérer le bouillon. Ce bouillon se conserve 3 jours au réfrigérateur et 6 mois au congélateur.

PAR PORTION	
Protéines	0 g
Lipides	1 g
Glucides	2 g
Fibres	1 g
Glucides nets	**1 g**

« Je fais congeler les os des poulets que j'utilise dans mes recettes et je les utilise pour faire mes bouillons lorsque j'en ai suffisamment. Vous pouvez aussi ajouter du collagène sans saveur à votre bouillon lorsqu'il est encore chaud pour lui donner une texture plus gélatineuse. »
— *Josey Arsenault*

POUR VARIER

Pour faire changement du bouillon de bœuf, on peut choisir 900 g (2 lb) d'os de poulet, de porc ou de canard, de carcasses de fruits de mer ou de poisson. Pour le bouillon de poisson, on ajoute 30 ml (2 c. à soupe) de sauce de poisson. On peut aromatiser notre bouillon de mille et une façons en ajoutant fines herbes, jus de citron, tabasco, etc.

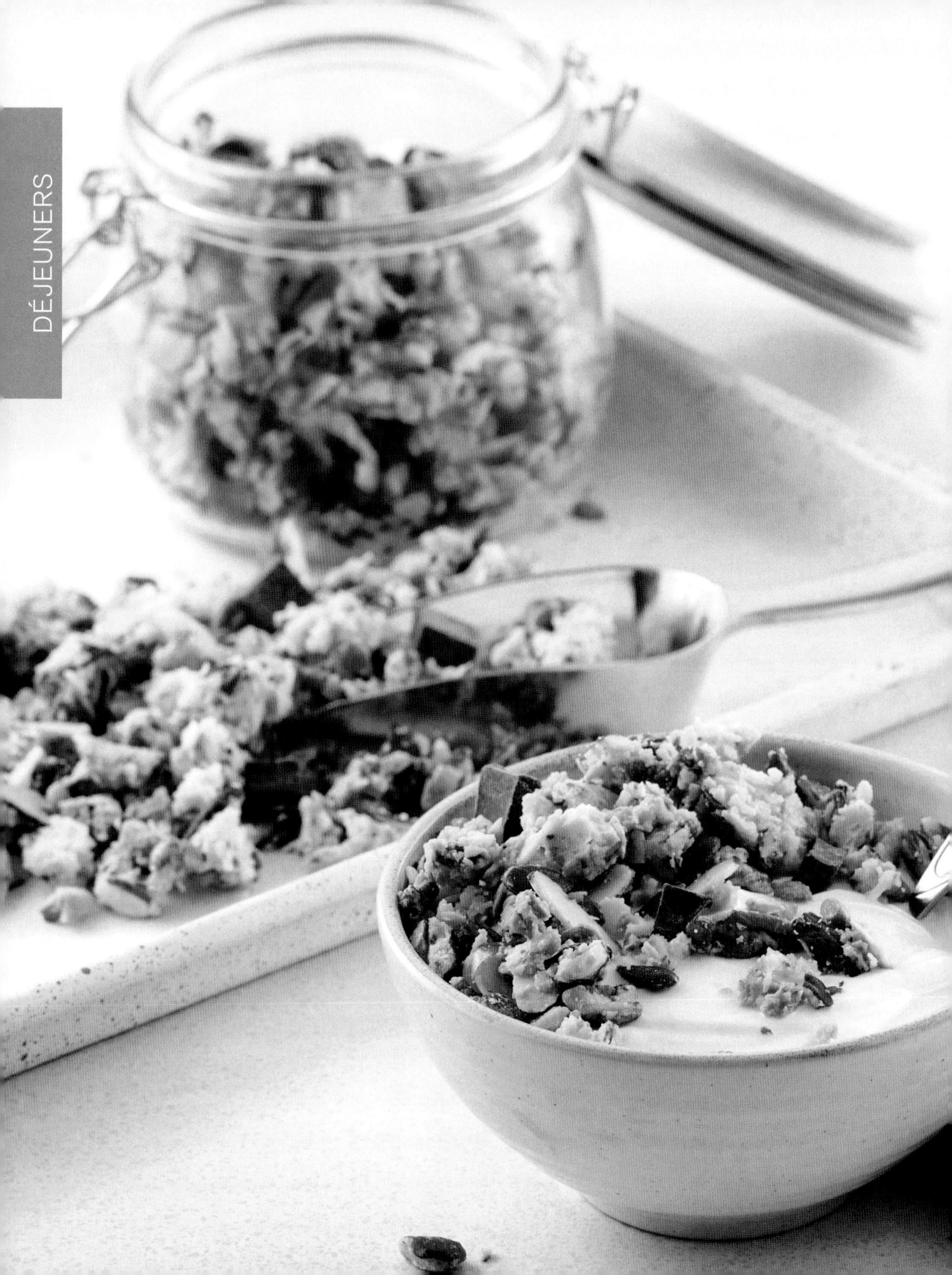

DÉJEUNERS

« Contrairement à l'adage populaire, le déjeuner n'est pas le repas le plus important de la journée ! Si vous n'avez pas faim, vous ne mangez pas ! J'ai par contre de belles idées pour vous si vous voulez vous régaler en matinée ! »

– Josey Arsenault

5 min **1 portion**

Smoothie protéiné aux bleuets

250 ml (1 tasse)
de lait de coco

60 ml (¼ de tasse)
de bleuets

15 ml (1 c. à soupe) de
poudre de protéines (*whey*)

15 ml (1 c. à soupe)
d'huile MCT ou d'huile
de noix de coco

5 ml (1 c. à thé)
d'extrait de vanille

1. Dans le contenant du mélangeur, déposer tous les ingrédients. Mélanger 1 minute, jusqu'à l'obtention d'une texture lisse.

PAR PORTION	
Protéines	18 g
Lipides	11 g
Glucides	12 g
Fibres	5 g
Glucides nets	**7 g**

10 min   **8 heures**   **1 portion**

Pouding de chia aux framboises

180 ml (¾ de tasse)
de lait de coco

30 ml (2 c. à soupe)
de graines de chia

15 ml (1 c. à soupe) de noix
de coco non sucrée râpée

Quelques gouttes de stévia
ou autre sucrant naturel
au goût

250 ml (1 tasse)
de framboises fraîches
ou surgelées

1. Dans un contenant hermétique, mélanger tous les ingrédients, à l'exception des framboises. Couvrir et laisser reposer au frais 8 heures ou toute une nuit.

2. Au moment de servir, garnir de framboises.

Ce déjeuner est parfait pour atteindre notre apport quotidien en fibres !

PAR PORTION	
Protéines	9 g
Lipides	33 g
Glucides	22 g
Fibres	19 g
Glucides nets	**3 g**

Céréales granola

10 min   **20 min**   **12 portions**

250 ml (1 tasse) d'amandes

250 ml (1 tasse) de pacanes

80 ml (⅓ de tasse) de graines de tournesol

80 ml (⅓ de tasse) de graines de citrouille

80 ml (⅓ de tasse) d'huile de noix de coco

80 ml (⅓ de tasse) d'érythritol

250 ml (1 tasse) de noix de coco non sucrée râpée

250 ml (1 tasse) de poudre d'amandes

1 œuf battu

25 g (environ 1 oz) de chocolat noir 99 % sans sucre coupé en petits morceaux

1. Préchauffer le four à 162 °C (325 °F).

2. Dans le contenant du robot culinaire, hacher grossièrement les amandes. Ajouter les pacanes et hacher grossièrement.

3. Ajouter les graines de tournesol et les graines de citrouille dans le robot. Mélanger jusqu'à l'obtention d'une consistance de granola.

4. Dans un grand bol allant au micro-ondes, faire fondre l'huile de noix de coco au micro-ondes.

5. Ajouter la préparation aux amandes, l'érythritol, la noix de coco, la poudre d'amandes, l'œuf battu et le chocolat dans le bol. Bien mélanger.

6. Sur une plaque de cuisson tapissée de papier parchemin, répartir les céréales granola.

7. Cuire au four de 20 à 30 minutes en remuant régulièrement, jusqu'à ce que les céréales granola soient dorées. Retirer du four et laisser refroidir complètement.

Si vous servez ces céréales granola avec 125 ml (½ tasse) de yogourt grec 5 %, vous ajouterez 4 g de glucides nets à votre déjeuner.

PAR PORTION	
Protéines	9 g
Lipides	27 g
Glucides	6 g
Fibres	3 g
Glucides nets	**3 g**

Muffins aux framboises

20 min **20 min** **12 muffins**

625 ml (2 ½ tasses)
de poudre d'amandes

125 ml (½ tasse) d'érythritol

7,5 ml (½ c. à soupe)
de poudre à pâte

1,25 ml (¼ de c. à thé)
de sel

80 ml (⅓ de tasse) d'huile
de noix de coco

80 ml (⅓ de tasse)
de boisson aux amandes
nature non sucrée

3 œufs

2,5 ml (½ c. à thé)
d'extrait de vanille

125 ml (½ tasse)
de framboises

1. Préchauffer le four à 180 °C (350 °F).

2. Dans un bol, mélanger la poudre d'amandes avec l'érythritol, la poudre à pâte et le sel.

3. Dans un autre bol, fouetter l'huile de noix de coco avec la boisson aux amandes, les œufs et la vanille.

4. Incorporer les ingrédients secs aux ingrédients humides et remuer jusqu'à l'obtention d'une préparation homogène.

5. Ajouter les framboises et remuer délicatement.

6. Déposer des moules en papier dans les douze alvéoles d'un moule à muffins, puis y répartir la pâte.

7. Cuire au four de 20 à 25 minutes, jusqu'à ce qu'un cure-dent inséré au centre d'un muffin en ressorte propre.

8. Retirer du four et laisser tiédir sur une grille.

PAR PORTION
1 muffin

Protéines	3 g
Lipides	10 g
Glucides	10 g
Fibres	9 g
Glucides nets	**1 g**

66

Pain au lin

15 min **1 heure** **10 tranches**

125 ml (½ tasse)
d'enveloppes de psyllium
(de type Inari)

60 ml (¼ de tasse)
de graines de chia

60 ml (¼ de tasse)
de graines de citrouille

60 ml (¼ de tasse)
de graines de tournesol

60 ml (¼ de tasse) de noix
de Grenoble hachées

30 ml (2 c. à soupe)
de graines de lin moulues

5 ml (1 c. à thé)
de poudre à pâte

1,25 ml (¼ de c. à thé)
de sel

45 ml (3 c. à soupe) d'huile
de noix de coco fondue

1 ¼ blanc d'œuf

125 ml (½ tasse)
de boisson aux amandes
nature non sucrée

1. Préchauffer le four à 162 °C (325 °F).

2. Dans un bol, mélanger le psyllium avec les graines de chia, les graines de citrouille, les graines de tournesol, les noix de Grenoble, les graines de lin moulues, la poudre à pâte et le sel.

3. Ajouter l'huile de noix de coco fondue et remuer.

4. Ajouter les blancs d'œufs et la boisson aux amandes. À l'aide du batteur électrique, mélanger la préparation à basse vitesse.

5. Huiler un moule à pain de 20 cm x 10 cm (8 po x 4 po), puis y transférer la préparation. Cuire au four de 1 heure à 1 heure 10 minutes.

6. Retirer du four et laisser tiédir sur une grille.

PAR PORTION
1 tranche

Protéines	9 g
Lipides	12 g
Glucides	4 g
Fibres	3 g
Glucides nets	**1 g**

Cretons

20 min   **47 min**   **15 portions**
(900 ml – environ 3 ½ tasses)

30 ml (2 c. à soupe)
de gras de canard

1 oignon haché finement

1 gousse d'ail hachée

400 g (environ 1 lb) de porc
haché mi-maigre

250 ml (1 tasse) de crème
à cuisson 35 %

125 ml (½ tasse)
de vin blanc

125 ml (½ tasse)
de bouillon de poulet

7,5 ml (½ c. à soupe) de sel

2,5 ml (½ c. à thé)
de piment de la Jamaïque
(quatre-épices) moulu

2,5 ml (½ c. à thé)
de cannelle

125 ml (½ tasse) de
couennes de porc frites
(chicharonnes) réduites en
fine chapelure

1. Dans une poêle, faire fondre le gras de canard
à feu moyen. Cuire l'oignon et l'ail de 2 à 3 minutes.

2. Ajouter le reste des ingrédients dans la poêle,
à l'exception de la chapelure de couennes de porc.
Cuire en égrainant la viande à l'aide d'une cuillère
en bois jusqu'à ce qu'elle ait perdu sa teinte rosée.
Couvrir et laisser mijoter à feu doux 45 minutes,
en remuant de temps à temps.

3. Ajouter la chapelure de couennes de porc et remuer.

4. Transvider les cretons dans un contenant.
Couvrir d'une pellicule plastique en prenant soin
que celle-ci touche la surface des cretons. Laisser
tiédir, puis réfrigérer.

PAR PORTION	
60 ml (¼ de tasse)	
Protéines	6 g
Lipides	13 g
Glucides	0 g
Fibres	0 g
Glucides nets	**0 g**

Barres tendres

10 min   **25 min**   **16 barres**

375 ml (1 ½ tasse)
d'amandes tranchées

125 ml (½ tasse) de noix de
coco non sucrée râpée

250 ml (1 tasse) de pacanes

125 ml (½ tasse)
de graines de citrouille

125 ml (½ tasse) de beurre

125 ml (½ tasse) d'érythritol

2,5 ml (½ c. à thé)
d'extrait de vanille

1 pincée de sel

1. Préchauffer le four à 150 °C (300 °F).

2. Dans le contenant du robot culinaire, déposer les amandes, la noix de coco, les pacanes et les graines de citrouille. Mélanger jusqu'à l'obtention d'une préparation granuleuse. Transférer dans un bol.

3. Dans une poêle, faire fondre le beurre avec l'érythritol, l'extrait de vanille et le sel.

4. Ajouter la préparation au beurre dans le bol et remuer.

5. Tapisser un plat de cuisson carré de 20 cm (8 po) de papier parchemin, puis y transférer la préparation. Égaliser la surface en pressant. Cuire au four 25 minutes.

6. Retirer du four et laisser tiédir. Démouler et couper en 16 barres.

PAR PORTION

1 barre

Protéines	5 g
Lipides	29 g
Glucides	14 g
Fibres	7 g
Glucides nets	**7 g**

Omelette aux aubergines

15 min

10 min

3 portions

6 œufs

Sel et poivre au goût

45 ml (3 c. à soupe)
d'huile d'olive

250 ml (1 tasse) d'aubergine
coupée en gros dés

125 ml (½ tasse)
d'oignon émincé

1 tomate coupée en dés

200 g (environ ½ lb)
de gruyère râpé

1. Dans un bol, fouetter les œufs. Saler et poivrer.

2. Dans une poêle allant au four, chauffer 30 ml
(2 c. à soupe) d'huile à feu moyen. Cuire les dés
d'aubergine quelques minutes, jusqu'à ce qu'ils
soient ramollis. Réserver dans une assiette.

3. Dans la même poêle, chauffer le reste de l'huile
d'olive à feu moyen. Cuire l'oignon 4 minutes. Réserver
dans l'assiette.

4. Dans la poêle, ajouter les œufs battus. Cuire de
2 à 3 minutes, jusqu'à ce que la préparation soit prise.

5. Garnir le centre de l'omelette d'aubergine, d'oignon
et de tomate. Rabattre la moitié de l'omelette sur la
garniture. Garnir de gruyère.

6. Faire gratiner au four à la position « gril » (*broil*)
quelques minutes.

PAR PORTION	
Protéines	32 g
Lipides	34 g
Glucides	8 g
Fibres	2 g
Glucides nets	**6 g**

5 min   **2 portions**

Smoothie aux framboises

250 ml (1 tasse)
de thé au choix froid

250 ml (1 tasse)
de framboises

125 ml (½ tasse)
de lait de coco

1. Dans le contenant du mélangeur, déposer tous les ingrédients. Émulsionner 1 minute, jusqu'à l'obtention d'une texture lisse.

PAR PORTION	
Protéines	2 g
Lipides	14 g
Glucides	8 g
Fibres	7 g
Glucides nets	**1 g**

76

5 min | **1 min 30 sec** | **1 portion**

Muffin aux framboises dans une tasse

30 ml (2 c. à soupe) de
poudre d'amandes

15 ml (1 c. à soupe) de
farine de noix de coco

1 pincée (⅛ de c. à thé)
de poudre à pâte

15 ml (1 c. à soupe)
d'érythritol

1 œuf

15 ml (1 c. à soupe)
de beurre ramolli

5 ml (1 c. à thé)
d'extrait de vanille

10 framboises

1. Dans une tasse allant au micro-ondes, mélanger
la poudre d'amandes avec la farine de noix de coco,
la poudre à pâte et l'érythritol.

2. Ajouter l'œuf, le beurre et la vanille. Remuer jusqu'à
l'obtention d'une préparation homogène.

3. Ajouter les framboises et remuer délicatement.

4. Cuire au micro-ondes environ 1 minute 30 secondes.

*Vous pouvez varier les fruits dans cette recette en utilisant
des mûres, des fraises ou des bleuets.*

PAR PORTION

Protéines	13 g
Lipides	27 g
Glucides	10 g
Fibres	4 g
Glucides nets	**6 g**

Barres déjeuner aux arachides

20 min   **30 min**   **8 barres**

125 ml (½ tasse) de beurre
d'arachide naturel

60 ml (¼ de tasse) d'huile
de noix de coco

30 ml (2 c. à soupe)
d'extrait de vanille

80 ml (⅓ de tasse)
d'érythritol

125 ml (½ tasse) de
pacanes en morceaux

80 ml (⅓ de tasse) de
graines de lin moulues

15 ml (1 c. à soupe)
de graines de chia

80 ml (⅓ de tasse)
de graines de citrouille

2,5 ml (½ c. à thé)
de cannelle

Pour le glaçage :

15 ml (1 c. à soupe)
de beurre

30 ml (2 c. à soupe)
d'érythritol

60 ml (¼ de tasse)
de crème à cuisson 35 %

1. Dans un bol allant au micro-ondes, déposer le beurre d'arachide, l'huile de noix de coco et la vanille. Chauffer au micro-ondes 30 secondes. Remuer. Répéter jusqu'à l'obtention d'une préparation homogène.

2. Ajouter l'érythritol dans le bol et cuire 30 secondes au micro-ondes.

3. Ajouter les pacanes, les graines de lin moulues, les graines de chia, les graines de citrouille et la cannelle dans le bol. Bien mélanger.

4. Tapisser un moule à pain de 20 cm x 10 cm (8 po x 4 po) de papier parchemin, puis y transférer la préparation. Égaliser la surface en pressant. Placer au congélateur 20 minutes.

5. Pendant ce temps, déposer le beurre et l'érythritol pour le glaçage dans un autre bol. Faire fondre au micro-ondes.

6. Ajouter la crème et fouetter à l'aide du batteur électrique jusqu'à ce que la crème forme des pics mous et qu'elle devienne légèrement dorée.

7. Répartir le glaçage sur la préparation au beurre d'arachide et égaliser la surface. Placer au congélateur 10 minutes.

8. Démouler et couper en huit barres.

PAR PORTION	
1 barre	
Protéines	12 g
Lipides	30 g
Glucides	7 g
Fibres	4 g
Glucides nets	**3 g**

Ces barres se conservent au réfrigérateur 8 jours dans un contenant hermétique ou enveloppées individuellement dans une pellicule plastique.

Pizza déjeuner

25 min

1 heure

25 min

4 portions

Pour la pâte :

60 ml (¼ de tasse) de
fromage à la crème

500 ml (2 tasses) de
mozzarella râpée

2 œufs battus

250 ml (1 tasse)
de poudre d'amandes

1 pincée de sel

Pour la garniture :

2 œufs battus

6 tranches de bacon cuites
coupées en morceaux

4 saucisses cuites
et tranchées

2 tranches de jambon
coupées en lanières

125 ml (½ tasse) de
mozzarella râpée

60 ml (¼ de tasse)
de cheddar râpé

1. Dans un bol allant au micro-ondes, mélanger
le fromage à la crème avec la mozzarella. Chauffer
1 minute au micro-ondes. Remuer. Chauffer de
nouveau 20 secondes.

2. Dans un autre bol, mélanger les œufs battus
pour la pâte avec la poudre d'amandes et le sel.

3. Ajouter la préparation aux œufs à la préparation
au fromage et pétrir jusqu'à l'obtention d'une pâte.
Laisser reposer 1 heure au réfrigérateur.

4. Au moment de la cuisson, préchauffer le four
à 205 °C (400 °F).

5. Dans une poêle allant au four, déposer la pâte
et la façonner au fond et sur les parois de la poêle
en pressant.

6. Faire de petits trous sur la pâte pour éviter la
formation de bulles d'air. Cuire au four 10 minutes.

7. Répartir les œufs battus pour la garniture sur la pâte.
Garnir de bacon, de saucisses, de jambon, de mozzarella
et de cheddar. Poursuivre la cuisson au four 15 minutes.

PAR PORTION

Protéines	23 g
Lipides	36 g
Glucides	8 g
Fibres	3 g
Glucides nets	**5 g**

REPAS DE SEMAINE

« Je me suis donné comme défi de vous offrir une tonne de recettes que toute la famille appréciera. Des repas simples et rapides à réaliser ! Bon appétit ! »

— Josey Arsenault

Sauce à spaghetti

20 min   **4 heures 12 min**   **8 portions**

15 ml (1 c. à soupe)
d'huile d'olive

1 oignon haché

2 gousses d'ail hachées

550 g (environ 1 ¼ lb)
de chair de saucisses
italiennes

450 g (1 lb) de bœuf
haché mi-maigre

60 ml (¼ de tasse)
de vin rouge faible en
glucides

2 boîtes de tomates San
Marzano de 796 ml chacune

15 ml (1 c. à soupe) de pâte
de tomates

15 ml (1 c. à soupe)
de harissa

15 ml (1 c. à soupe)
de basilic séché

15 ml (1 c. à soupe)
de sel de céleri

15 ml (1 c. à soupe) de sel

15 ml (1 c. à soupe) de
sucrant naturel (fruit du
moine ou érythritol)

5 ml (1 c. à thé)
de poudre d'oignons

5 ml (1 c. à thé)
de flocons de piment

1 feuille de laurier

1. Préchauffer le four à 162 °C (325 °F).

2. Dans une grande casserole allant au four, chauffer l'huile d'olive à feu moyen. Cuire l'oignon 4 minutes.

3. Ajouter l'ail et poursuivre la cuisson 1 minute.

4. Ajouter la chair de saucisses et le bœuf haché. Cuire 7 minutes en égrainant la viande à l'aide d'une cuillère en bois.

5. Verser le vin rouge et laisser mijoter à feu moyen jusqu'à évaporation presque complète du liquide.

6. Ajouter le reste des ingrédients. Remuer.

7. Cuire au four 4 heures à découvert.

PAR PORTION

Protéines	22 g
Lipides	28 g
Glucides	8 g
Fibres	2 g
Glucides nets	**6 g**

Pain de viande à la dinde

15 min   **34 min**   **6 portions**

15 ml (1 c. à soupe)
d'huile d'olive

½ oignon haché

680 g (1 ½ lb)
de dinde hachée

80 ml (⅓ de tasse) de
crème à cuisson 35 %

60 ml (¼ de tasse)
de parmesan râpé

15 ml (1 c. à soupe)
de persil frais haché

Sel et poivre au goût

1. Préchauffer le four à 230 °C (450 °F).

2. Dans une poêle, chauffer l'huile d'olive à feu moyen.
Cuire l'oignon 4 minutes.

3. Transférer l'oignon dans un bol. Ajouter la dinde, la
crème, le parmesan et le persil. Saler, poivrer et remuer.

4. Dans un moule à pain, façonner un pain de viande
avec la préparation. Égaliser la surface en pressant.

5. Cuire au four de 30 à 45 minutes, jusqu'à ce que
l'intérieur du pain de viande ait perdu sa teinte rosée.

PAR PORTION

Protéines	15 g
Lipides	19 g
Glucides	1 g
Fibres	0 g
Glucides nets	**1 g**

POUR ACCOMPAGNER

Chou rouge au vin
et vinaigre balsamique

Par portion : protéines 2 g, lipides 14 g,
glucides 7 g, fibres 3 g, **glucides nets 4 g**

Dans une poêle, mélanger 60 ml (¼ de tasse) d'huile
d'avocat avec 80 ml (⅓ de tasse) d'oignon rouge émincé. Cuire
1 minute à feu moyen. Ajouter 1 litre (4 tasses) de chou rouge
émincé et cuire 5 minutes. Ajouter 80 ml (⅓ de tasse) de vin
rouge faible en glucides, 60 ml (¼ de tasse) de bouillon de poulet
et 15 ml (1 c. à soupe) de vinaigre balsamique. Saler et poivrer.
Couvrir et cuire 20 minutes à feu doux. Retirer le couvercle,
puis poursuivre la cuisson 5 minutes.

Fish cakes à la thaïe

2 min   **8 min**   **4 portions**

450 g (1 lb) de filets de tilapia (ou autre poisson blanc) coupés en morceaux

75 ml (5 c. à soupe) d'huile de noix de coco

30 ml (2 c. à soupe) de sauce de poisson

30 ml (2 c. à soupe) d'eau

2 gousses d'ail hachées

15 ml (1 c. à soupe) de gingembre haché

15 ml (1 c. à soupe) de coriandre fraîche hachée

2,5 ml (½ c. à thé) de poudre de chili

2,5 ml (½ c. à thé) de flocons de piment

2,5 ml (½ c. à thé) de cumin

1,25 ml (¼ de c. à thé) de coriandre moulue

60 ml (¼ de tasse) de psyllium

45 ml (3 c. à soupe) de mayonnaise

15 ml (1 c. à soupe) de sriracha

1 quartier de lime

1. Dans le contenant du robot culinaire, déposer le tilapia, 45 ml (3 c. à soupe) d'huile de noix de coco, la sauce de poisson, l'eau, l'ail, le gingembre, la coriandre fraîche, la poudre de chili, les flocons de piment, le cumin et la coriandre moulue. Mélanger 3 minutes, jusqu'à l'obtention d'une pâte.

2. Façonner des galettes de la grosseur désirée. Idéalement, mouiller les mains pour façonner les galettes.

3. Dans une assiette creuse, verser le psyllium. Enrober les galettes de psyllium.

4. Dans une grande poêle, chauffer 15 ml (1 c. à soupe) d'huile de noix de coco à feu moyen. Cuire la moitié des galettes de 2 à 3 minutes de chaque côté, jusqu'à ce qu'elles soient dorées et que le poisson soit cuit. Déposer les galettes sur du papier absorbant et les éponger. Répéter avec le reste des galettes.

5. Dans un bol, mélanger la mayonnaise avec la sriracha.

6. Au moment de servir, arroser les galettes de jus de lime. Servir avec la mayonnaise à la sriracha.

PAR PORTION	
Protéines	24 g
Lipides	27 g
Glucides	4 g
Fibres	0 g
Glucides nets	**4 g**

15 min **18 min** **4 portions**

Pâtes au poulet Alfredo

15 ml (1 c. à soupe)
d'huile de noix de coco

600 g (1 ⅓ lb) de poitrines
de poulet sans peau
coupées en morceaux

2 paquets de fettucines de
konjac (de type nuPasta)
de 210 g chacun

Pour la sauce Alfredo :

125 ml (½ tasse) de beurre

1 gousse d'ail hachée

60 ml (¼ de tasse) de
fromage à la crème ramolli

80 ml (⅓ de tasse) de
bouillon de poulet

125 ml (½ tasse)
de parmesan râpé

Sel et poivre au goût

1. Dans une poêle, chauffer l'huile de noix de coco
à feu moyen. Cuire le poulet 8 minutes en remuant
de temps en temps.

2. Ajouter le beurre et l'ail, puis poursuivre la cuisson
5 minutes à feu doux-moyen, jusqu'à ce que l'intérieur
de la chair du poulet ait perdu sa teinte rosée.

3. Ajouter le fromage à la crème et remuer jusqu'à
ce qu'il soit fondu. Ajouter le bouillon de poulet et
le parmesan en remuant. Laisser mijoter à feu doux
3 minutes. Saler et poivrer.

4. Égoutter et rincer les fettucines de konjac.

5. Ajouter les fettucines dans la poêle. Remuer.
Réchauffer 1 minute.

*Les pâtes de konjac sont vendues dans certaines épiceries
et dans les magasins d'alimentation naturelle.*

PAR PORTION	
Protéines	21 g
Lipides	42 g
Glucides	1 g
Fibres	0 g
Glucides nets	**1 g**

15 min 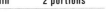 **2 portions**

Salade de poulet et bacon à la ranch

6 feuilles de laitue Boston

375 ml (1 ½ tasse) de
poulet cuit coupé en cubes

80 ml (⅓ de tasse)
de mayonnaise

45 ml (3 c. à soupe)
de vinaigrette ranch

5 tranches de bacon cuites
coupées en morceaux

Sel et poivre au goût

1. Dans un saladier, déposer la laitue.

2. Ajouter le reste des ingrédients. Remuer.

PAR PORTION

Protéines	18 g
Lipides	35 g
Glucides	1 g
Fibres	0 g
Glucides nets	**1 g**

Poulet à la toscane

25 min   **20 min**   **4 portions**

15 ml (1 c. à soupe)
d'huile d'olive

4 poitrines de poulet
sans peau de 150 g
(⅓ de lb) chacune

Sel et poivre au goût

120 g (environ ¼ de lb) de
fromage de chèvre émietté

30 ml (2 c. à soupe)
de beurre salé

1 petit oignon haché

2 gousses d'ail hachées

125 ml (½ tasse) de vin
blanc faible en glucides

125 ml (½ tasse) de crème
à cuisson 35 %

750 ml (3 tasses)
de bébés épinards

60 ml (¼ de tasse) de
tomates séchées dans
l'huile coupées en lanières

125 ml (½ tasse)
de parmesan râpé

1. Dans une poêle, chauffer l'huile à feu moyen. Cuire les poitrines de poulet de 12 à 15 minutes, en les retournant à mi-cuisson, jusqu'à ce que l'intérieur de la chair du poulet ait perdu sa teinte rosée. Saler et poivrer.

2. Répartir le fromage de chèvre sur les poitrines de poulet. Retirer du feu et laisser fondre quelques minutes.

3. Pendant ce temps, faire fondre le beurre à feu moyen dans une autre poêle. Cuire l'oignon de 2 à 3 minutes, jusqu'à tendreté.

4. Ajouter l'ail et cuire 1 minute.

5. Verser le vin et laisser mijoter jusqu'à ce que le liquide ait réduit de moitié.

6. Verser la crème et porter à ébullition à feu doux. Saler et poivrer.

7. Ajouter les bébés épinards, les tomates séchées et le parmesan dans la poêle. Poursuivre la cuisson 2 minutes en remuant, jusqu'à ce que le parmesan soit fondu.

8. Déposer les poitrines de poulet dans la sauce et remuer.

PAR PORTION	
Protéines	63 g
Lipides	42 g
Glucides	12 g
Fibres	2 g
Glucides nets	**10 g**

Shawarma de bœuf

25 min   **30 min**   **8 min**   **4 portions**

500 g (environ 1 lb)
de bavette de bœuf

30 ml (2 c. à soupe) d'huile d'olive

8 tomates cerises coupées
en quartiers

½ concombre libanais
tranché finement

1 oignon rouge tranché finement

Pour la marinade :

30 ml (2 c. à soupe) d'huile d'olive

30 ml (2 c. à soupe)
de jus de citron

10 ml (2 c. à thé) de paprika

5 ml (1 c. à thé)
de coriandre moulue

2,5 ml (½ c. à thé) de
cardamome moulue

1,25 ml (¼ de c. à thé)
de cannelle

1,25 ml (¼ de c. à thé) de clous
de girofle moulus

Pour la sauce au yogourt :

250 ml (1 tasse) de yogourt
grec nature 10 %

15 ml (1 c. à soupe) de jus
de citron frais

15 ml (1 c. à soupe) de
menthe fraîche hachée

1 gousse d'ail hachée

Pour la salade :

60 ml (¼ de tasse) d'huile d'olive

15 ml (1 c. à soupe) de jus
de citron frais

5 ml (1 c. à thé) de
vinaigre de cidre

1 contenant de mélange de laitues
printanier de 142 g

1. Dans un bol, mélanger les ingrédients de la marinade. Ajouter le bœuf et remuer pour bien l'enrober de marinade. Couvrir et laisser mariner au frais au moins 30 minutes.

2. Dans une poêle, chauffer l'huile à feu moyen. Cuire la bavette de 4 à 5 minutes de chaque côté pour une cuisson saignante.

3. Retirer du feu et déposer la bavette dans une assiette. Couvrir d'une feuille de papier d'aluminium, sans serrer. Laisser reposer de 5 à 7 minutes avant de trancher en fines lanières.

4. Dans un bol, mélanger les ingrédients de la sauce au yogourt. Réserver au frais.

5. Dans un saladier, fouetter l'huile d'olive pour la salade avec le jus de citron et le vinaigre de cidre. Ajouter le mélange de laitues printanier et remuer.

6. Répartir séparément la salade, les tomates cerises, le concombre et l'oignon rouge dans les bols. Garnir de lanières de bœuf et de sauce au yogourt.

Vous pouvez ajouter de la harissa ou du tabasco pour un goût plus relevé.

PAR PORTION	
Protéines	40 g
Lipides	28 g
Glucides	9 g
Fibres	3 g
Glucides nets	**6 g**

15 min   **15 min**   **4 portions**

Crevettes et saucisses cajun

45 ml (3 c. à soupe)
d'huile d'olive

4 saucisses coupées
en rondelles

450 g (1 lb) de crevettes
moyennes (calibre 31/40)
crues et décortiquées

100 g (3 ½ oz) de
courgettes coupées en
demi-rondelles

100 g (3 ½ oz) d'asperges
coupées en morceaux

30 ml (2 c. à soupe)
d'assaisonnements cajun

1 jalapeño épépiné et coupé
en dés (facultatif)

1 lime (jus)

Quelques feuilles de
coriandre fraîche (facultatif)

1. Dans une poêle, chauffer l'huile à feu moyen. Cuire les saucisses de 10 à 12 minutes en les retournant de temps en temps. Réserver dans une assiette.

2. Dans la même poêle, cuire les crevettes 1 minute de chaque côté.

3. Ajouter les courgettes, les asperges, les assaisonnements cajun, les saucisses émincées et, si désiré, le jalapeño. Cuire de 5 à 6 minutes en remuant de temps en temps.

4. Ajouter le jus de lime et, si désiré, la coriandre. Remuer.

PAR PORTION	
Protéines	37 g
Lipides	20 g
Glucides	3 g
Fibres	0 g
Glucides nets	**3 g**

20 min **15 min** **4 portions**

Pâté chinois gratiné

3 tranches de bacon
coupées en petits morceaux

45 ml (3 c. à soupe)
de beurre

½ oignon haché

454 g (1 lb) de bœuf
haché mi-maigre

Sel et poivre au goût

750 ml (3 tasses) de
chou-fleur râpé bien tassé

60 ml (¼ de tasse) de
crème à cuisson 35 %

5 ml (1 c. à thé)
de poudre d'oignons

5 ml (1 c. à thé)
de sel d'oignon

250 ml (1 tasse) de
mozzarella râpée

1. Chauffer une poêle à feu moyen. Cuire le bacon
avec 15 ml (1 c. à soupe) de beurre de 5 à 6 minutes.

2. Ajouter l'oignon et cuire 5 minutes.

3. Ajouter le bœuf haché. Poursuivre la cuisson
en égrainant la viande à l'aide d'une cuillère en bois,
jusqu'à ce qu'elle ait perdu sa teinte rosée. Saler
et poivrer.

4. Pendant ce temps, cuire le chou-fleur dans une
casserole d'eau bouillante 5 minutes, jusqu'à tendreté.
Bien égoutter.

5. Dans le contenant du mélangeur, déposer le
chou-fleur, le reste du beurre, la crème, la poudre
d'oignons et le sel d'oignon. Réduire en purée lisse.

6. Dans un plat de cuisson, transférer la préparation au
bœuf. Couvrir de purée de chou-fleur et de mozzarella.

7. Régler le four à la position «gril» (*broil*) et faire
gratiner au four 5 minutes, jusqu'à ce que le fromage soit doré.

PAR PORTION	
Protéines	32 g
Lipides	41 g
Glucides	6 g
Fibres	1 g
Glucides nets	**5 g**

97

10 min **15 min** **2 portions**

Rillettes de thon

15 ml (1 c. à soupe)
de moutarde de Dijon

1 jaune d'œuf

60 ml (¼ de tasse)
d'huile d'olive

1 boîte de thon de 170 g,
égoutté et émietté

2 œufs cuits dur
hachés finement

1 citron (jus)

30 ml (2 c. à soupe)
d'échalote sèche (française)
hachée

160 ml (⅔ de tasse) de
crème à cuisson 35 %

Sel et poivre au goût

6 feuilles de
laitue Boston

1. Dans un bol, fouetter la moutarde avec le jaune d'œuf
et l'huile d'olive.

2. Ajouter le thon émietté, les œufs cuits dur, le jus
de citron, l'échalote et la crème. Saler et poivrer.
Remuer. Réfrigérer au moins 15 minutes.

3. Répartir les rillettes dans les feuilles
de laitue Boston.

PAR PORTION	
Protéines	31 g
Lipides	55 g
Glucides	7 g
Fibres	1 g
Glucides nets	**6 g**

15 min   **27 min**   **8 portions**

Avocats farcis de chili

30 ml (2 c. à soupe) de gras de bacon ou de beurre

450 g (1 lb) de bœuf haché mi-maigre

1 boîte de tomates entières de 428 ml, avec le jus

22,5 ml (1 ½ c. à soupe) de poudre de chili

10 ml (2 c. à thé) de paprika

1,25 ml (¼ de c. à thé) de cannelle

2 gousses d'ail hachées

1 pincée de sel

30 ml (2 c. à soupe) de persil frais haché

4 gros avocats coupés en deux et dénoyautés, avec la pelure

1. Dans une grande poêle, faire fondre le gras de bacon à feu moyen. Cuire le bœuf haché de 7 à 8 minutes en égrainant la viande à l'aide d'une cuillère en bois, jusqu'à ce qu'elle ait perdu sa teinte rosée.

2. Ajouter les tomates, la poudre de chili, le paprika, la cannelle, l'ail, le sel et le persil. Couvrir et porter à ébullition, puis laisser mijoter 20 minutes à feu doux, en laissant une petite ouverture entre le couvercle et la poêle.

3. Garnir les avocats de chili.

PAR PORTION	
Protéines	17 g
Lipides	30 g
Glucides	10 g
Fibres	7 g
Glucides nets	**3 g**

Poulet au beurre

25 min

1 heure 42 min

4 portions

15 ml (1 c. à soupe) de gingembre râpé

5 ml (1 c. à thé) de poudre de cari

5 ml (1 c. à thé) de garam masala

5 ml (1 c. à thé) de curcuma

250 ml (1 tasse) de crème à cuisson 35 %

250 ml (1 tasse) de lait de coco sans glucides

30 ml (2 c. à soupe) de pâte de cari rouge

15 ml (1 c. à soupe) de sucrant naturel (fruit du moine ou érythritol)

75 ml (5 c. à soupe) de beurre

½ oignon grossièrement haché

1 grosse pincée de sel

2 gousses d'ail grossièrement hachées

60 ml (¼ de tasse) de yogourt grec nature 10 %

Poivre au goût

905 g (2 lb) de poitrines de poulet sans peau coupées en cubes

Quelques feuilles de coriandre fraîche

1. Dans un bol, mélanger le gingembre avec le cari, le garam masala et le curcuma. Réserver.

2. Dans un autre bol, mélanger la crème avec le lait de coco, la pâte de cari rouge et le sucrant naturel. Réserver.

3. Dans une poêle, faire fondre 15 ml (1 c. à soupe) de beurre à feu moyen. Cuire l'oignon 1 minute. Saler.

4. Ajouter l'ail et le mélange d'épices, puis poursuivre la cuisson de 1 à 2 minutes.

5. Dans le contenant du robot culinaire, déposer la préparation à l'oignon et le yogourt grec. Mélanger jusqu'à l'obtention d'une texture lisse et homogène. Poivrer.

6. Dans une autre poêle, faire fondre le reste du beurre à feu moyen. Verser la préparation au yogourt et le mélange à la crème. Remuer et porter à ébullition.

7. Ajouter le poulet dans la poêle et laisser mijoter de 1 heure 30 minutes à 2 heures à feu doux. Rectifier l'assaisonnement au besoin.

8. Au moment de servir, parsemer de feuilles de coriandre.

PAR PORTION	
Protéines	69 g
Lipides	39 g
Glucides	3 g
Fibres	1 g
Glucides nets	**2 g**

POUR ACCOMPAGNER
Chou-fleur rôti au beurre

Par portion : protéines 6 g, lipides 0 g, glucides 11 g, fibres 3 g, **glucides nets 8 g**

Sur une plaque de cuisson tapissée de papier parchemin, déposer 350 g (environ ¾ de lb) de chou-fleur coupé en bouquets. Badigeonner le chou-fleur de 30 ml (2 c. à soupe) de beurre fondu. Cuire au four 15 minutes à 205 °C (400 °F).

Sole dauphinoise

20 min   **25 min**   **4 portions**

400 g (environ 1 lb) de céleri-rave tranché finement

310 ml (1 ¼ tasse) de crème à cuisson 35 %

2 gousses d'ail hachées

1 feuille de laurier

Sel et poivre au goût

Muscade au goût

125 ml (½ tasse) de parmesan râpé

4 filets de sole de 100 g (3 ½ oz) chacun

1. Préchauffer le four à 190 °C (375 °F).

2. Déposer les tranches de céleri-rave dans une poêle antiadhésive, puis verser 250 ml (1 tasse) de crème. Ajouter l'ail et la feuille de laurier. Saler généreusement et poivrer. Remuer.

3. Porter à ébullition, puis laisser mijoter à feu doux de 5 à 10 minutes, jusqu'à ce que le céleri-rave soit tendre.

4. Transférer le céleri-rave dans un plat de cuisson. Verser le reste de la crème. Saupoudrer de muscade et garnir de parmesan.

5. Cuire au four 20 minutes.

6. À la sortie du four, soulever les tranches de céleri-rave et glisser les filets de sole sous les tranches. Laisser reposer 5 minutes (la chaleur du plat suffira à cuire le poisson).

PAR PORTION	
Protéines	34 g
Lipides	11 g
Glucides	7 g
Fibres	2 g
Glucides nets	**5 g**

POUR ACCOMPAGNER
Radis au beurre

Par portion : protéines 1 g, lipides 18 g, glucides 4 g, fibres 2 g, **glucides nets 2 g**

Dans un bol allant au micro-ondes, déposer 90 ml (6 c. à soupe) de beurre ou de ghee (beurre clarifié) et 5 ml (1 c. à thé) d'assaisonnements italiens. Saupoudrer de sel d'ail au goût. Remuer. Faire fondre au micro-ondes de 15 à 30 secondes. Ajouter 450 g (1 lb) de radis tranchés et remuer pour bien les enrober de beurre. Déposer les radis sur une plaque de cuisson tapissée de papier parchemin. Cuire au four 15 minutes à 205 °C (400 °F).

Chili à la mijoteuse

20 min **8 heures 10 min** **8 portions**

30 ml (2 c. à soupe)
de beurre

½ oignon haché

5 gousses d'ail hachées

450 g (1 lb) de porc
haché mi-maigre

450 g (1 lb) de bœuf
haché mi-maigre

1 boîte de tomates
en dés de 796 ml

1 boîte de pâte
de tomates de 156 ml

30 ml (2 c. à soupe) de
sauce Worcestershire

200 g (environ ½ lb)
d'aubergine coupée en dés

150 g (⅓ de lb) de
courgettes coupées en dés

45 ml (3 c. à soupe)
de poudre de chili

30 ml (2 c. à soupe)
de cumin

15 ml (1 c. à soupe)
de basilic séché

5 ml (1 c. à thé)
d'origan séché

1 feuille de laurier

500 ml (2 tasses) de
bouillon de légumes

Sel et poivre au goût

125 ml (½ tasse)
de crème sure 14 %

500 ml (2 tasses) de
mozzarella râpée

1. Dans une poêle, faire fondre le beurre à feu moyen. Cuire l'oignon 4 minutes.

2. Ajouter l'ail et cuire 1 minute.

3. Ajouter le porc et le bœuf. Cuire de 5 à 7 minutes en égrainant la viande à l'aide d'une cuillère en bois.

4. Transvider la préparation à la viande dans la mijoteuse. Ajouter les tomates en dés, la pâte de tomates, la sauce Worcestershire, l'aubergine, les courgettes, les épices, les fines herbes et le bouillon de légumes. Saler et poivrer.

5. Couvrir et cuire 8 heures à faible intensité.

6. Répartir le chili dans les bols. Garnir chaque portion de crème sure et de mozzarella.

PAR PORTION	
Protéines	25 g
Lipides	22 g
Glucides	9 g
Fibres	3 g
Glucides nets	**6 g**

Gratin de courgettes et artichauts

15 min   **17 min**   **8 portions**

½ paquet de fromage à la crème de 250 g, ramolli

½ boîte de cœurs d'artichauts de 398 ml, coupés en deux ou en quatre

160 ml (²/₃ de tasse) de mozzarella râpée

125 ml (½ tasse) d'épinards parés et hachés

60 ml (¼ de tasse) de parmesan râpé

30 ml (2 c. à soupe) de crème sure 14 %

2 gousses d'ail hachées

1 pincée de flocons de piment

Sel et poivre au goût

15 ml (1 c. à soupe) de beurre

3 courgettes coupées en rondelles

1. Préchauffer le four à 205 °C (400 °F).

2. Dans un grand bol, mélanger tous les ingrédients, à l'exception du beurre et des courgettes.

3. Dans une poêle, faire fondre le beurre à feu moyen. Cuire les courgettes de 2 à 3 minutes.

4. Déposer la moitié des rondelles de courgettes au fond d'un plat de cuisson. Couvrir de la préparation aux cœurs d'artichauts. Garnir du reste des courgettes.

5. Cuire au four 15 minutes.

PAR PORTION	
Protéines	5 g
Lipides	7 g
Glucides	3 g
Fibres	1 g
Glucides nets	**2 g**

POUR ACCOMPAGNER
Choux de Bruxelles au bacon et pacanes
Par portion : protéines 11 g, lipides 16 g, glucides 7 g, fibres 6 g, **glucides nets 1 g**

Déposer 600 g (1 ⅓ lb) de choux de Bruxelles coupés en deux ou en quatre sur une plaque de cuisson tapissée de papier parchemin. Arroser de 10 ml (2 c. à thé) d'huile d'olive. Saler et poivrer. Cuire au four de 10 à 12 minutes à 205 °C (400 °F). Déposer 8 tranches de bacon coupées en morceaux sur la plaque. Poursuivre la cuisson de 7 à 9 minutes. Ajouter 60 ml (¼ de tasse) de pacanes en morceaux sur la plaque, puis poursuivre la cuisson 3 minutes.

Endives au jambon

15 min   **10 min**   **2 portions**

2 endives

Sel et poivre au goût

4 tranches de jambon

15 ml (1 c. à soupe)
d'huile d'olive

250 ml (1 tasse) de crème à
cuisson 35 %

100 g (3 ½ oz)
de gruyère râpé

1. Préchauffer le four à 205 °C (400 °F).

2. Couper la base des endives, puis couper les endives
en deux sur la longueur. Saler et poivrer.

3. Enrouler une tranche de jambon autour de
chaque demi-endive.

4. Huiler un plat de cuisson, puis y déposer les endives.

5. Dans un bol, mélanger la crème avec les deux
tiers du gruyère. Remuer vigoureusement.

6. Verser la préparation à la crème sur les endives.
Garnir du reste du gruyère. Cuire au four 10 minutes.

PAR PORTION	
Protéines	41 g
Lipides	52 g
Glucides	10 g
Fibres	3 g
Glucides nets	**7 g**

POUR ACCOMPAGNER
Poêlée de champignons de Paris

Par portion : protéines 4 g, lipides 6 g,
glucides 4 g, fibres 2 g, **glucides nets 2 g**

Dans une poêle, faire fondre 30 ml (2 c. à soupe) de beurre à
feu moyen. Cuire 450 g (1 lb) de champignons de Paris tranchés
et 2 gousses d'ail hachées de 2 à 3 minutes, jusqu'à ce que
les champignons soient dorés.

 25 min   **33 min**   **4 portions**

Portobellos au canard confit

4 gros champignons
portobello

15 ml (1 c. à soupe)
de beurre

100 g (3 ½ oz) de
poireaux émincés

250 ml (1 tasse) de
sauce Alfredo (voir
recette ci-dessous)

2 cuisses de canard
confites de 250 g
chacune, effilochées

4 tranches de fro-
mage à raclette

1. Préchauffer le four à 180°C (350°F).

2. Retirer le pied des portobellos. À l'aide d'une cuillère, retirer les lamelles à l'intérieur des portobellos.

3. Déposer les portobellos sur une plaque de cuisson tapissée de papier parchemin. Chauffer au four 15 minutes.

4. Dans une poêle, faire fondre le beurre à feu moyen. Cuire les poireaux de 3 à 5 minutes en remuant de temps en temps, jusqu'à tendreté.

5. Verser la sauce Alfredo dans les portobellos. Garnir de canard confit et de poireaux. Garnir de fromage.

6. Cuire au four 15 minutes.

POUR ACCOMPAGNER

Sauce Alfredo

Par portion : protéines 11 g, lipides 36 g,
glucides 1 g, fibres 0 g, **glucides nets 1 g**

Dans une poêle, faire fondre 80 ml (⅓ de tasse) de beurre à feu moyen-élevé. Ajouter 2 gousses d'ail émincées et cuire 30 secondes. Ajouter ½ contenant de fromage à la crème de 250 g coupé en cubes en fouettant constamment, jusqu'à ce qu'il soit fondu. Ajouter 250 ml (1 tasse) de crème à cuisson 35 % en fouettant. Ajouter graduellement 125 ml (½ tasse) de parmesan râpé. Remuer vigoureusement. Saler et poivrer. Laisser mijoter 1 minute. Donne 500 ml (2 tasses) de sauce. Se conserve au réfrigérateur jusqu'à 4 jours.

PAR PORTION
avec sauce
Alfredo

Protéines	48 g
Lipides	64 g
Glucides	9 g
Fibres	4 g
Glucides nets	**5 g**

15 min   **2 portions**

Salade d'endives aux crevettes

60 ml (¼ de tasse)
d'huile d'olive

30 ml (2 c. à soupe) de jus
de citron frais

½ gousse d'ail hachée

Sel et poivre au goût

200 g (½ lb) d'endives
tranchées

400 g (environ 1 lb)
de crevettes moyennes
(calibre 31/40) cuites
et décortiquées

1. Dans un bol, fouetter l'huile d'olive avec le jus de citron et l'ail. Saler et poivrer.

2. Répartir les endives et les crevettes dans les assiettes. Napper chacune des portions de vinaigrette.

PAR PORTION

Protéines	29 g
Lipides	19 g
Glucides	5 g
Fibres	3 g
Glucides nets	**2 g**

Poulet Madras

30 min

52 min

4 portions

875 ml (3 ½ tasses) de
bouillon de légumes

6 gousses d'ail hachées

15 ml (1 c. à soupe) de
gingembre haché

60 ml (¼ de tasse) de ghee
(beurre clarifié)

2,5 ml (½ c. à thé)
de grains de cumin

1,25 ml (¼ de c. à thé) de
grains de fenouil

10 g de gousses de
cardamome verte

20 ml (4 c. à thé) de clous
de girofle entiers

1 bâton de cannelle

1 feuille de laurier

1 oignon haché

15 ml (1 c. à soupe)
de poudre de cari

15 ml (1 c. à soupe) d'érythritol

10 ml (2 c. à thé) de curcuma

2,5 ml (½ c. à thé) paprika

1,25 ml (¼ de c. à thé)
de piment de Cayenne

1 boîte de tomates
San Marzano de 796 ml

375 ml (1 ½ tasse)
de lait de coco sans glucides

600 g (environ 1 ⅓ lb) de hauts
de cuisses de poulet

15 ml (1 c. à soupe) de jus
de citron frais

60 ml (¼ de tasse) de
coriandre fraîche hachée

1. Dans le contenant du robot culinaire, déposer
125 ml (½ tasse) de bouillon de légumes, l'ail et
le gingembre. Mélanger jusqu'à l'obtention d'une
préparation homogène.

2. Dans une poêle, faire fondre le ghee à feu moyen.
Cuire le cumin, le fenouil, la cardamome, le clou de
girofle, la cannelle et la feuille de laurier 1 minute.

3. Ajouter l'oignon et poursuivre la cuisson 5 minutes.

4. Ajouter le cari, l'érythritol, le curcuma, le paprika
et le piment de Cayenne. Cuire 4 minutes.

5. Ajouter la préparation au gingembre et cuire
3 minutes.

6. Ajouter les tomates. Remuer et cuire 3 minutes.

7. Verser le reste du bouillon de légumes. Porter à
ébullition, puis laisser mijoter 20 minutes à feu doux.

8. Ajouter le lait de coco et le poulet. Poursuivre la
cuisson 20 minutes, jusqu'à ce que l'intérieur de la chair
du poulet ait perdu sa teinte rosée.

9. Ajouter le jus de citron et la coriandre. Remuer.

PAR PORTION	
Protéines	22 g
Lipides	16 g
Glucides	14 g
Fibres	4 g
Glucides nets	**10 g**

Jambon glacé au brandy

15 min

2 heures

10 portions

1 épaule de porc fumée picnic avec os d'environ 2,7 kg (6 lb)

500 ml (2 tasses) de bouillon de poulet

60 ml (¼ de tasse) de clous de girofle entiers

Pour le sirop :

310 ml (1 ¼ tasse) d'érythritol

15 ml (1 c. à soupe) de moutarde en poudre

5 ml (1 c. à thé) de vinaigre de cidre

60 ml (¼ de tasse) de brandy

1. Préchauffer le four à 162 °C (325 °F).

2. Retirer le filet et l'excès de gras du jambon. Faire des incisions en croix sur le gras.

3. Déposer le jambon dans une rôtissoire. Verser le bouillon de poulet.

4. Couvrir et cuire au four 1 heure sur la grille du bas.

5. Dans un bol, mélanger les ingrédients du sirop.

6. Retirer la rôtissoire du four et déposer le jambon dans une assiette. Vider le liquide contenu au fond de la rôtissoire dans le bol contenant le sirop et remuer. Insérer les clous de girofle dans les incisions du jambon.

7. Remettre le jambon dans la rôtissoire et le badigeonner de sirop. Cuire au four 1 heure à découvert, en arrosant régulièrement le jambon du reste du sirop.

PAR PORTION	
Protéines	59 g
Lipides	14 g
Glucides	1 g
Fibres	0 g
Glucides nets	**1 g**

Moussaka

45 min **1 heure** **8 portions**

90 ml (6 c. à soupe)
d'huile d'olive

1 oignon haché

3 gousses d'ail hachées

454 g (1 lb) de bœuf
haché mi-maigre
(ou d'agneau haché)

125 ml (½ tasse)
de vin blanc faible
en glucides

1 boîte de tomates
italiennes faibles en
glucides de 796 ml

15 ml (1 c. à soupe)
d'érythritol

30 ml (2 c. à soupe) de
basilic frais haché

15 ml (1 c. à soupe)
de cannelle

5 ml (1 c. à thé)
de poudre d'oignons

5 ml (1 c. à thé)
de poudre d'ail

5 ml (1 c. à thé) de paprika

Sel et poivre au goût

2 petites aubergines

1 litre (4 tasses) de
mozzarella râpée

Pour la sauce :

500 g (environ 1 lb)
de mascarpone faible
en glucides

250 g (environ ½ lb)
de crème sure 14 %

5 œufs

2,5 ml (½ c. à thé)
de muscade

Sel au goût

1. Dans une poêle, chauffer 10 ml (2 c. à thé) d'huile d'olive à feu moyen. Cuire l'oignon et l'ail 3 minutes.

2. Ajouter le bœuf haché et cuire de 4 à 5 minutes en égrainant la viande à l'aide d'une cuillère en bois.

3. Ajouter le vin, les tomates, l'érythritol, le basilic, la cannelle, la poudre d'oignons, la poudre d'ail et le paprika. Saler et poivrer. Laisser mijoter 25 minutes à feu doux-moyen.

4. Préchauffer le four à 205 °C (400 °F).

5. Couper les aubergines en tranches d'environ 1 cm (½ po) d'épaisseur.

6. Badigeonner les tranches d'aubergines de 45 ml (3 c. à soupe) d'huile d'olive.

7. Dans une poêle, chauffer le reste de l'huile d'olive à feu moyen. Saisir les tranches d'aubergines de 2 à 3 minutes de chaque côté.

8. Dans le contenant du mélangeur, déposer les ingrédients de la sauce. Mélanger 1 minute, jusqu'à l'obtention d'une préparation lisse et onctueuse.

9. Dans un plat de cuisson de 30 cm x 20 cm (12 po x 8 po), déposer la moitié des tranches d'aubergines, sans les superposer. Couvrir de la préparation au bœuf haché. Couvrir des tranches d'aubergines restantes, puis verser la sauce. Couvrir de mozzarella.

10. Cuire au four 25 minutes. Retirer du four et laisser reposer quelques minutes avant de servir.

PAR PORTION	
Protéines	27 g
Lipides	55 g
Glucides	11 g
Fibres	1 g
Glucides nets	**10 g**

Philly cheesesteaks

15 min

9 min

2 portions

15 ml (1 c. à soupe)
de beurre

250 ml (1 tasse) de
champignons tranchés

125 ml (½ tasse)
d'oignon haché

80 ml (⅓ de tasse) de
poivron vert haché

1,25 ml (¼ de c. à thé)
de poudre d'ail

230 g (environ ½ lb) de
tranches de bœuf à fondue

2 tranches de provolone

Sel et poivre au goût

1. Dans une poêle, faire fondre le beurre à feu moyen. Cuire les champignons, l'oignon, le poivron et la poudre d'ail de 5 à 7 minutes.

2. Ajouter le bœuf et poursuivre la cuisson de 2 à 3 minutes, en remuant de temps en temps.

3. Garnir la préparation de tranches de provolone. Couvrir et cuire à feu doux de 2 à 3 minutes, jusqu'à ce que le fromage soit fondu. Saler et poivrer.

PAR PORTION	
Protéines	33 g
Lipides	16 g
Glucides	6 g
Fibres	1,5 g
Glucides nets	**4,5 g**

POUR ACCOMPAGNER
Frites de navet au four
Par portion : protéines 1 g, lipides 14 g, glucides 6 g, fibres 3 g, **glucides nets 3 g**

Dans un bol, mélanger 500 g (environ 1 lb) de navet coupé en bâtonnets avec 60 ml (¼ de tasse) d'huile d'olive, 5 ml (1 c. à thé) de paprika, 5 ml (1 c. à thé) de sel d'oignon et 5 ml (1 c. à thé) de sel d'ail. Saler et poivrer. Tapisser une plaque de cuisson de papier parchemin, puis y déposer les bâtonnets de navet, sans les superposer. Cuire au four 5 minutes à 220 °C (425 °F). Retourner les bâtonnets, puis poursuivre la cuisson au four 10 minutes.

Aubergines farcies aux saucisses

20 min   **1 heure**   **4 portions**

2 aubergines de 225 g
(½ lb) chacune

30 ml (2 c. à soupe)
d'huile d'olive

Sel et poivre au goût

400 g (environ 1 lb)
de chair de saucisses

2 gousses d'ail hachées

15 ml (1 c. à soupe) de
coriandre fraîche hachée

15 ml (1 c. à soupe)
de pâte de tomates

10 tomates cerises
coupées en quatre

1 œuf

250 ml (1 tasse)
de parmesan râpé

1. Préchauffer le four à 180°C (350°F).

2. Couper les aubergines en deux sur la longueur.
Badigeonner la chair d'huile d'olive. Saler et poivrer.
Inciser la chair à quelques endroits à l'aide d'un couteau.

3. Tapisser une plaque de cuisson de papier parchemin,
puis y déposer les aubergines, côté chair dessous. Cuire
au four de 25 à 30 minutes.

4. Dans un bol, mélanger la chair de saucisses avec l'ail,
la coriandre, la pâte de tomates et les tomates cerises.
Saler et poivrer.

5. Retirer les aubergines du four. À l'aide d'une cuillère,
vider le centre des aubergines en laissant un pourtour
de 2 cm (¾ de po). Hacher la chair retirée.

6. Ajouter la chair d'aubergines dans le bol contenant
la préparation aux saucisses. Ajouter l'œuf et remuer.

7. Farcir les aubergines avec la préparation
aux saucisses.

8. Huiler un plat de cuisson, puis y déposer les
aubergines. Garnir de parmesan. Cuire au four de
35 à 40 minutes, jusqu'à ce que la chair de saucisses
soit cuite.

PAR PORTION

Protéines	27 g
Lipides	39 g
Glucides	10 g
Fibres	4 g
Glucides nets	**6 g**

  30 min

 15 min

 20 dumplings

Dumplings au poulet

10 feuilles
de chou vert

450 g (1 lb)
de poulet haché

¼ d'oignon haché

5 ml (1 c. à thé) de
gingembre haché

1 gousse d'ail
hachée

15 ml (1 c. à soupe)
de coriandre fraîche
hachée

Sel et poivre
au goût

**Pour la sauce
aux arachides :**

5 ml (1 c. à thé) de
beurre d'arachide
naturel

5 ml (1 c. à thé)
de sriracha

5 ml (1 c. à thé)
d'huile d'olive

5 ml (1 c. à thé)
de sauce soya

2,5 ml (½ c. à thé)
de vinaigre de riz

2,5 ml (½ c. à thé)
de gingembre haché

½ lime (jus)

1. Dans une casserole d'eau bouillante, faire blanchir les feuilles de chou 5 minutes, jusqu'à tendreté. Égoutter.

2. Dans un bol, mélanger le poulet haché avec l'oignon, le gingembre, l'ail et la coriandre. Saler et poivrer.

3. Couper les feuilles de chou en deux en retirant la partie centrale des feuilles de chou.

4. Répartir la farce au poulet au centre des feuilles de chou. Plier les feuilles de manière à former des dumplings. Fixer à l'aide de cure-dents ou ficeler.

5. Dans une casserole, faire bouillir un peu d'eau. Déposer les dumplings dans une marguerite, sans les superposer. Déposer la marguerite sur la casserole. Cuire à la vapeur 10 minutes, jusqu'à ce que la chair du poulet ait perdu sa teinte rosée.

6. Dans un bol, mélanger les ingrédients de la sauce aux arachides. Servir avec les dumplings.

PAR PORTION
4 dumplings

Protéines	21 g
Lipides	7 g
Glucides	4 g
Fibres	1 g
Glucides nets	**3 g**

20 min **33 min** **4 portions**

Étagés d'aubergine au pesto et fromage de chèvre

225 g (½ lb) d'aubergine coupée en douze rondelles

60 ml (¼ de tasse) d'huile d'olive

Sel et poivre au goût

260 g (environ ½ lb) de tomates coupées en douze tranches

60 ml (¼ de tasse) de pesto de basilic

60 ml (¼ de tasse) de basilic frais haché

200 g (environ ½ lb) de fromage de chèvre coupé en 16 rondelles

1. Préchauffer le four à 180 °C (350 °F).

2. Arroser les tranches d'aubergine de la moitié de l'huile d'olive. Saler et poivrer.

3. Tapisser une plaque de cuisson de papier parchemin, puis y déposer les aubergines. Cuire au four 20 minutes, en retournant les tranches d'aubergine à mi-cuisson.

4. Arroser les tranches de tomates avec le reste de l'huile d'olive. Déposer les tomates sur une autre plaque de cuisson tapissée de papier parchemin. Cuire au four 10 minutes, en retournant les tranches de tomates à mi-cuisson.

5. Dans un plat de cuisson, déposer quatre rondelles d'aubergine, puis garnir chacune d'elles de 5 ml (1 c. à thé) de pesto. Garnir chaque rondelle d'aubergine d'une tranche de tomate, de 5 ml (1 c. à thé) de basilic et de deux tranches de fromage de chèvre. Répéter afin de former un deuxième étage. Couvrir des rondelles d'aubergine restantes, du pesto restant et des tranches de tomates restantes.

6. Cuire au four environ 3 minutes.

PAR PORTION	
Protéines	10 g
Lipides	22 g
Glucides	6 g
Fibres	3 g
Glucides nets	**3 g**

123

Gratin de bœuf au bacon et parmesan

15 min **25 min** **6 portions**

4 tranches
de bacon hachées

1 oignon tranché

1 gousse d'ail hachée

750 g (environ 1 ⅔ lb) de
bœuf haché mi-maigre

60 ml (¼ de tasse) de
fromage à la crème

Sel et poivre au goût

3 œufs

125 ml (½ tasse) de crème
à cuisson 35 %

30 ml (2 c. à soupe)
de moutarde

100 g (3 ½ oz)
de cheddar râpé

2 cornichons à l'aneth
coupés en dés

15 ml (1 c. à soupe) de
ciboulette fraîche hachée

1. Préchauffer le four à 180 °C (350 °F).

2. Chauffer une poêle à feu moyen. Cuire le bacon de 5 à 6 minutes, jusqu'à ce qu'il soit croustillant. Réserver le bacon dans une assiette.

3. Retirer le surplus de gras de la poêle, en prenant soin de conserver 5 ml (1 c. à thé) de gras.

4. Dans la poêle, cuire l'oignon, l'ail et le bœuf haché de 5 à 6 minutes, en égrainant la viande à l'aide d'une cuillère en bois.

5. Ajouter le fromage à la crème. Saler, poivrer et remuer.

6. Verser la préparation au bœuf dans un plat de cuisson.

7. Dans un bol, mélanger les œufs avec la crème et la moutarde. Saler et poivrer.

8. Verser la préparation aux œufs sur la préparation au bœuf. Garnir de cheddar, de bacon et de cornichons.

9. Cuire au four de 15 à 20 minutes, jusqu'à ce que le fromage soit doré.

10. À la sortir du four, garnir de ciboulette.

PAR PORTION

Protéines	39 g
Lipides	46 g
Glucides	5 g
Fibres	0 g
Glucides nets	**5 g**

Soupe au cheeseburger

15 min   **21 min**   **2 portions**

2 tranches de bacon
coupées en morceaux

125 g (environ ¼ de lb) de
bœuf haché mi-maigre

15 ml (1 c. à soupe)
de beurre

1 pincée de poudre d'ail

1 pincée de
poudre d'oignons

1 pincée de flocons
de piment

1 pincée de cumin

1 pincée de poudre de chili

250 ml (1 tasse)
de bouillon de bœuf

80 ml (⅓ de tasse)
de cheddar râpé

30 ml (2 c. à soupe)
de fromage à la crème

15 ml (1 c. à soupe)
de pâte de tomates

2,5 ml (½ c. à thé) de
moutarde en poudre

60 ml (¼ de tasse) de
crème à cuisson 35 %

1 cornichon à l'aneth
coupé en dés

1. Chauffer une poêle à feu moyen. Cuire le bacon de 5 à 6 minutes, jusqu'à ce qu'il soit croustillant. Retirer du feu et réserver dans une assiette.

2. Dans la même poêle, cuire le bœuf haché dans le gras de bacon de 5 à 7 minutes en égrainant la viande à l'aide d'une cuillère en bois, jusqu'à ce qu'elle ait perdu sa teinte rosée.

3. Pendant ce temps, déposer le beurre, la poudre d'ail, la poudre d'oignons, les flocons de piment, le cumin et la poudre de chili dans une casserole. Chauffer 1 minute, jusqu'à ce que les arômes se libèrent.

4. Ajouter le bouillon, le fromage, le fromage à la crème, la pâte de tomates et la moutarde en poudre dans la casserole. Cuire 5 minutes en remuant, jusqu'à ce que les fromages soient fondus.

5. Ajouter la crème et le cornichon dans la casserole. Remuer.

6. Ajouter le bœuf haché dans la casserole et remuer. Cuire à feu doux de 5 à 10 minutes.

7. Répartir la soupe dans les bols. Garnir de bacon.

Un repas parfait pour les lunchs ou pour les enfants !

PAR PORTION	
Protéines	22 g
Lipides	43 g
Glucides	4 g
Fibres	1 g
Glucides nets	**3 g**

REPAS DU VENDREDI

« La semaine est terminée, c'est vendredi et vous avez envie d'un repas que vous n'auriez jamais osé cuisiner en période de perte de poids, comme du *fast-food*? Voici quelques classiques du vendredi 100 % réconfortants bien adaptés au cétogène ! »

— *Josey Arsenault*

Poulet style Shake'n Bake

15 min   **45 min**   **4 portions**

60 ml (¼ de tasse)
d'huile d'avocat

8 pilons de poulet

40 g (environ 1 ½ oz)
de couennes de porc frites
(chicharonnes)

50 g (1 ¾ oz) de croustilles
au fromage parmesan
(de type Whisps)

15 ml (1 c. à soupe)
d'assaisonnements
barbecue

1. Préchauffer le four à 180 °C (350 °F).

2. Dans un grand bol, verser l'huile d'avocat. Ajouter les pilons de poulet et remuer afin de bien les enrober d'huile d'olive.

3. Dans le contenant du mélangeur, déposer les couennes de porc frites, les croustilles et les assaisonnements barbecue. Émulsionner jusqu'à l'obtention d'une chapelure.

4. Transvider la chapelure dans un grand sac hermétique. Ajouter les pilons de poulet et sceller le sac. Secouer pour bien enrober les pilons de chapelure.

5. Badigeonner une plaque de cuisson d'huile d'olive, puis y déposer les pilons. Cuire au four 45 minutes, jusqu'à ce que l'intérieur de la chair du poulet ait perdu sa teinte rosée et que la chair se détache facilement de l'os.

POUR ACCOMPAGNER
Salade de chou crémeuse

Par portion : protéines 6 g, lipides 38 g, glucides 11 g, fibres 4 g, **glucides nets 1 g**

Dans un saladier, mélanger 160 ml (⅔ de tasse) de mayonnaise avec 30 ml (2 c. à soupe) de jus de citron, 10 ml (2 c. à thé) de moutarde de Dijon, 2,5 ml (½ c. à thé) de poudre d'ail, 2,5 ml (½ c. à thé) de poudre d'oignons, 2,5 ml (½ c. à thé) de poivre moulu, 1 pincée de paprika et 1 pincée de sel. Ajouter ½ chou râpé et remuer.

PAR PORTION	
Protéines	96 g
Lipides	43 g
Glucides	1 g
Fibres	0 g
Glucides nets	**1 g**

130

Ailes de poulet au parmesan

20 min   **1 heure**   **35 min**   **24 ailes**

24 ailes de poulet

15 ml (1 c. à soupe)
de tabasco

250 ml (1 tasse)
de parmesan râpé

15 ml (1 c. à soupe) de
coriandre fraîche hachée

Pour la marinade :

15 ml (1 c. à soupe)
de beurre fondu

5 ml (1 c. à thé)
de paprika fumé doux

5 ml (1 c. à thé)
de jus de citron

2,5 ml (½ c. à thé)
de piment de Cayenne

1 gousse d'ail hachée

Sel et poivre au goût

1. Dans un bol, mélanger les ingrédients de la marinade.

2. Déposer les ailes de poulet dans un sac hermétique.
Ajouter la marinade et secouer afin de bien enrober
les ailes de marinade. Sceller le sac et laisser mariner
1 heure au frais.

3. Au moment de la cuisson, préchauffer le four
à 190 °C (375 °F).

4. Déposer les ailes sur une plaque de cuisson tapissée
de papier parchemin. Cuire au four de 20 à 25 minutes,
en retournant les ailes à mi-cuisson.

5. Pendant ce temps, mélanger le tabasco avec
le parmesan et la coriandre dans un autre bol.

6. Retirer les ailes de poulet du four. Badigeonner
les ailes de préparation au parmesan.

7. Ajuster la température du four à 205 °C (400 °F).

8. Poursuivre la cuisson au four 15 minutes, jusqu'à
ce que l'intérieur de la chair du poulet ait perdu
sa teinte rosée.

*Accompagnez ces ailes de poulet d'une mayonnaise
ou d'une sauce au fromage !*

PAR PORTION

1 aile	
Protéines	5 g
Lipides	5 g
Glucides	0 g
Fibres	0 g
Glucides nets	**0 g**

20 min

7 heures

6 portions

Wraps de porc effiloché à la mijoteuse

10 ml (2 c. à thé) de sel

5 ml (1 c. à thé) de poivre

5 ml (1 c. à thé) de paprika

5 ml (1 c. à thé)
de piment de Cayenne

5 ml (1 c. à thé)
de poudre d'ail

2,5 ml (½ c. à thé)
de mélange chinois
cinq épices

2,5 ml (½ c. à thé)
de cannelle

2,5 ml (½ c. à thé) de stévia

1 épaule de porc picnic
avec os de 1 kg
(environ 2 ¼ lb)

15 ml (1 c. à soupe)
d'huile d'olive

12 feuilles de laitue Boston

1. Dans un bol, mélanger le sel avec le poivre, le paprika, le piment de Cayenne, la poudre d'ail, le mélange chinois cinq épices, la cannelle et la stévia.

2. Frotter l'épaule de porc avec le mélange d'épices.

3. Badigeonner l'épaule de porc d'huile d'olive.

4. Déposer l'épaule de porc dans la mijoteuse. Couvrir et cuire de 7 à 8 heures à faible intensité, jusqu'à ce que la chair se détache facilement de l'os.

5. Retirer la viande de la mijoteuse. Effilocher la viande à l'aide de deux fourchettes.

6. Servir le porc effiloché dans des feuilles de laitue Boston.

PAR PORTION	
Protéines	9 g
Lipides	8 g
Glucides	0 g
Fibres	0 g
Glucides nets	**1 g**

20 min　　**35 min**　　**4 portions**

Casserole de pizza

1 chou-fleur de 800 g
(environ 1 ¾ lb) coupé
en petits bouquets

30 ml (2 c. à soupe)
d'huile d'olive

Sel et poivre au goût

375 ml (1 ½ tasse)
de sauce marinara
faible en glucides

500 ml (2 tasses)
de mozzarella râpée

30 ml (2 c. à soupe)
d'assaisonnements italiens

50 g (1 ¾ oz)
de pepperoni tranché

1. Préchauffer le four à 220 °C (425 °F).

2. Dans un bol, mélanger le chou-fleur
avec l'huile d'olive. Saler et poivrer.

3. Déposer les bouquets de chou-fleur dans un
plat de cuisson, sans les superposer. Cuire au four
25 minutes, jusqu'à ce que le chou-fleur soit doré.

4. Verser la sauce marinara sur le chou-fleur, puis
parsemer de mozzarella et d'assaisonnements
italiens. Garnir de tranches de pepperoni. Poursuivre
la cuisson au four 10 minutes.

PAR PORTION

Protéines	22 g
Lipides	31 g
Glucides	8 g
Fibres	5 g
Glucides nets	**3 g**

Pizza Alfredo au canard confit

20 min   **32 min**   **4 portions**

Pour la pâte à pizza :

2 boîtes de flocons
de poulet de 156 g
chacune

330 ml (1 ⅓ tasse)
de parmesan râpé

2 œufs

Pour la garniture :

15 ml (1 c. à soupe)
d'huile d'olive

2 blancs de poireaux
émincés

Sel et poivre au goût

125 ml (½ tasse)
de sauce Alfredo
(voir recette page 110)

225 g (½ lb)
de fromage à raclette

250 g (environ ½ lb)
de canard confit effiloché

1. Préchauffer le four à 180 °C (350 °F).

2. Étaler les flocons de poulet sur une plaque
de cuisson tapissée de papier parchemin. Chauffer
au four 10 minutes.

3. Dans un bol, mélanger les flocons de poulet avec
le parmesan et les œufs jusqu'à l'obtention d'une boule
de pâte.

4. Ajuster la température du four à 220 °C (425 °F).

5. Déposer la pâte entre deux feuilles de papier
parchemin. À l'aide d'un rouleau à pâtisserie, abaisser
la pâte en un grand cercle.

6. Retirer le papier parchemin du dessus, puis déposer
la pâte à pizza avec le papier parchemin du dessous
sur une plaque de cuisson ou une plaque à pizza.
Cuire au four 10 minutes.

7. Pendant ce temps, chauffer l'huile d'olive à feu moyen
dans une poêle. Cuire les poireaux de 2 à 3 minutes.
Saler et poivrer. Retirer du feu et réserver.

8. Répartir la sauce Alfredo sur la pâte à pizza. Garnir
de poireaux, de fromage et de canard. Poursuivre
la cuisson au four de 12 à 15 minutes.

PAR PORTION
pâte à pizza
seulement

Protéines	27 g
Lipides	8 g
Glucides	1 g
Fibres	0 g
Glucides nets	**1 g**

PAR PORTION
pâte à pizza
avec garniture

Protéines	63 g
Lipides	51 g
Glucides	8 g
Fibres	5 g
Glucides nets	**3 g**

Saucisses garnies bacon-fromage

10 min   **20 min**   **2 portions**

2 tranches de bacon

4 saucisses italiennes

80 ml (⅓ de tasse)
de cheddar râpé

1. Préchauffer le four à 180 °C (350 °F).

2. Couper le bacon en lanières minces.

3. Inciser les saucisses sur la longueur,
sans les trancher complètement.

4. Farcir les saucisses de bacon et de cheddar.

5. Déposer les saucisses sur une plaque de cuisson
tapissée de papier parchemin. Cuire au four de 20 à
25 minutes.

PAR PORTION	
2 saucisses	
Protéines	23 g
Lipides	35 g
Glucides	7 g
Fibres	2 g
Glucides nets	**5 g**

POUR ACCOMPAGNER
Laitue romaine grillée

Par portion : protéines 1 g, lipides 7 g, glucides 3 g,
fibres 2 g, **glucides nets 1 g**

Couper 1 laitue romaine de 400 g (environ 1 lb) en quatre sur la
longueur. Badigeonner la laitue de 30 ml (2 c. à soupe) d'huile
d'olive. Saler et poivrer. Déposer la laitue sur la grille chaude
du barbecue préchauffé à puissance élevée ou dans une poêle
striée chauffée à feu moyen et cuire de 2 à 3 minutes.

Côtes levées au four

20 min **3 heures** **3 heures 30 min** **4 portions**

1,3 kg (3 lb) de côtes levées de dos de porc coupées en deux

Pour la marinade :

250 ml (1 tasse) d'érythritol

20 ml (4 c. à thé) de poudre d'ail

15 ml (1 c. à soupe) de sel

10 ml (2 c. à thé) de paprika fumé doux

7,5 ml (½ c. à soupe) de moutarde en poudre

5 ml (1 c. à thé) de piment de la Jamaïque (quatre-épices) moulu

5 ml (1 c. à thé) de poudre de chili

1. Dans un bol, mélanger les ingrédients de la marinade. Frotter les côtes levées avec la marinade.

2. Déposer les côtes levées sur une plaque de cuisson tapissée de papier parchemin, côté chair sur le dessus. Couvrir les côtes levées d'une pellicule plastique, puis d'une feuille de papier d'aluminium. Réfrigérer de 3 à 24 heures.

3. Au moment de la cuisson, préchauffer le four à 120 °C (250 °F).

4. Cuire les côtes levées enveloppées au four de 3 heures 30 minutes à 4 heures.

5. Retirer le papier d'aluminium et la pellicule plastique. Faire griller à la position « gril » (*broil*) de 1 à 2 minutes.

L'utilisation de la pellicule plastique permet de créer une papillote hermétique pour une cuisson à la vapeur.

PAR PORTION	
Protéines	88 g
Lipides	39 g
Glucides	0 g
Fibres	0 g
Glucides nets	**0 g**

Croquettes de poulet au parmesan

20 min   **6 min**   **4 portions**

500 g (environ 1 lb)
de poulet haché

Sel et poivre au goût

2 œufs

15 ml (1 c. à soupe)
de crème à cuisson 35 %

30 ml (2 c. à soupe)
d'huile d'olive

Pour la chapelure :

500 ml (2 tasses)
de poudre d'amandes

250 ml (1 tasse)
de parmesan râpé

30 ml (2 c. à soupe)
de poudre de chili

15 ml (1 c. à soupe)
de paprika fumé doux

15 ml (1 c. à soupe)
de poudre d'ail

5 ml (1 c. à thé)
de sel de céleri

Sel et poivre au goût

1. Dans un bol, mélanger le poulet haché avec le sel et le poivre.

2. Façonner 18 croquettes en utilisant environ 30 ml (2 c. à soupe) de préparation pour chacune d'elles.

3. Préparer deux assiettes creuses. Dans la première, fouetter les œufs avec la crème. Dans la deuxième, mélanger les ingrédients de la chapelure. Tremper les croquettes dans la préparation aux œufs, puis les enrober de chapelure.

4. Dans une poêle, chauffer l'huile d'olive à feu doux-moyen. Cuire les croquettes 3 minutes de chaque côté, jusqu'à ce qu'elles soient croustillantes et que l'intérieur ait perdu sa teinte rosée. Servir avec une mayonnaise mélangée avec des fines herbes au choix.

PAR PORTION	
Protéines	40 g
Lipides	52 g
Glucides	11 g
Fibres	5 g
Glucides nets	**6 g**

Short ribs barbecue à la mijoteuse

20 min

7 heures

8 portions

3 tranches de bacon
coupées en morceaux

30 ml (2 c. à soupe)
d'oignon haché

250 ml (1 tasse) de sauce
tomate non sucrée

60 ml (¼ de tasse)
de tamari

80 ml (⅓ de tasse)
d'érythritol

60 ml (¼ de tasse)
de vinaigre blanc

3 gousses d'ail écrasées

10 ml (2 c. à thé)
de fumée liquide

8 *shorts ribs*
(bouts de côtes) de bœuf
(1,8 kg − 4 lb)

1. Dans une poêle, cuire le bacon et l'oignon quelques minutes, jusqu'à ce que le bacon soit croustillant.

2. Ajouter la sauce tomate, le tamari, l'érythritol, le vinaigre, l'ail et la fumée liquide. Remuer.

3. Verser la préparation dans le contenant du mélangeur et émulsionner jusqu'à l'obtention d'une consistance onctueuse.

4. Transvider la sauce dans la mijoteuse. Déposer les *shorts ribs* dans la mijoteuse, sans les superposer.

5. Couvrir et cuire de 7 à 8 heures à faible intensité, jusqu'à ce que la viande se détache facilement de l'os.

6. Transférer les *shorts ribs* dans une assiette, puis les arroser de la sauce contenue dans la mijoteuse.

PAR PORTION	
Protéines	28 g
Lipides	68 g
Glucides	2 g
Fibres	1 g
Glucides nets	**1 g**

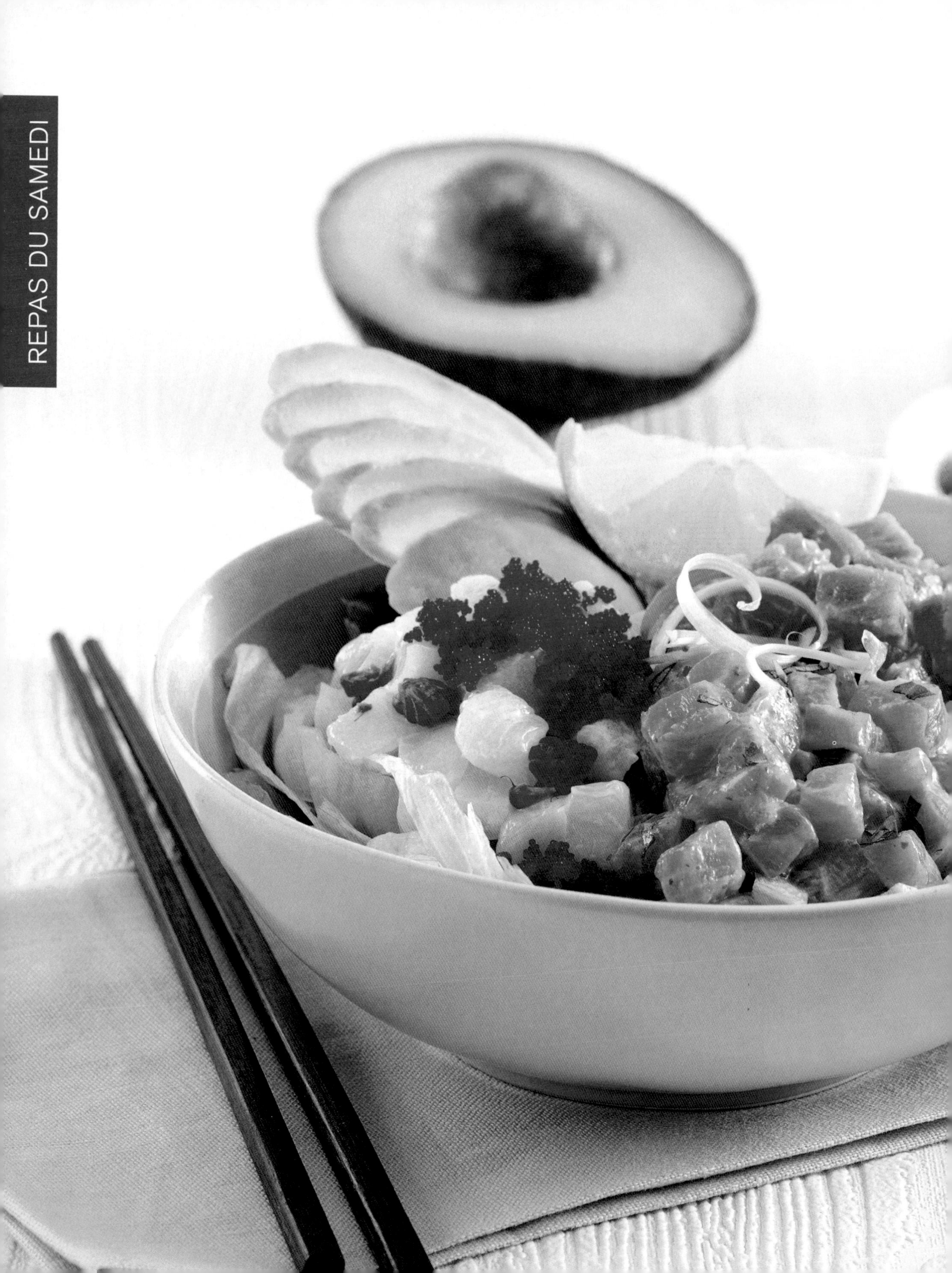

REPAS
DU SAMEDI

« Que j'aime recevoir des amis à la maison !
Voici des recettes qui feront fureur, même
auprès de vos amis qui ne s'alimentent
pas cétogène ! Préparez-vous : vos invités
reviendront rapidement ! »

— *Josey Arsenault*

Surf and turf

25 min **2 heures** **10 min** **4 portions**

4 tranches de bacon

4 filets mignons de bœuf
de 150 g (⅓ de lb) chacun

15 ml (1 c. à soupe) d'huile d'olive

12 crevettes moyennes (calibre
31/40), crues et décortiquées

2 avocats coupés en deux

250 ml (1 tasse) de laitue
Boston déchiquetée

250 ml (1 tasse) de laitue
frisée verte déchiquetée

Pour le beurre parfumé :

60 ml (¼ de tasse) de beurre

60 ml (¼ de tasse) d'échalotes
sèches (françaises) hachées

45 ml (3 c. à soupe)
de persil frais haché

10 ml (2 c. à thé) d'ail haché

Pour la vinaigrette :

60 ml (¼ de tasse) d'huile d'olive

30 ml (2 c. à soupe)
de ciboulette fraîche hachée

15 ml (1 c. à soupe)
de jus de citron

2,5 ml (½ c. à thé)
de paprika fumé doux

Sel et poivre au goût

Pour la marinade sèche :

15 ml (1 c. à soupe)
de zestes de citron

5 ml (1 c. à thé) de paprika
fumé doux

5 ml (1 c. à thé) de
poudre d'oignons

5 ml (1 c. à thé) de
piment d'Espelette

Sel au goût

1. Dans un bol, mélanger les ingrédients du beurre parfumé. Déposer la préparation sur une pellicule plastique. Rouler la pellicule de manière à obtenir un cylindre de 2,5 cm (1 po) de diamètre. Placer au réfrigérateur de 2 à 3 heures.

2. Au moment de la cuisson, mélanger les ingrédients de la vinaigrette dans un autre bol.

3. Dans un troisième bol, mélanger les ingrédients de la marinade sèche.

4. Enrouler une tranche de bacon autour de chaque filet mignon. Fixer à l'aide de cure-dents. Assaisonner les filets mignons avec la marinade sèche.

5. Dans une poêle, chauffer l'huile à feu doux-moyen. Cuire les filets mignons de 4 à 5 minutes de chaque côté pour une cuisson saignante. Réserver dans une assiette. Couvrir d'une feuille de papier d'aluminium, sans serrer.

6. Dans la même poêle, cuire les crevettes de 1 à 2 minutes de chaque côté.

7. Répartir les filets mignons dans les assiettes. Garnir d'une rondelle de beurre parfumé et de crevettes.

8. Répartir les avocats et les laitues dans les assiettes. Napper de vinaigrette.

PAR PORTION	
Protéines	62 g
Lipides	56 g
Glucides	6 g
Fibres	3 g
Glucides nets	**3 g**

Poke bowl

35 min　　**4 portions**

1 avocat émincé

½ citron (jus)

1 laitue iceberg déchiquetée
grossièrement

Pour le tartare
de saumon :

250 g (environ ½ lb) de filet
de saumon très frais,
la peau enlevée

45 ml (3 c. à soupe)
de mayonnaise

5 ml (1 c. à thé) d'huile
de sésame grillé

15 ml (1 c. à soupe) de
coriandre fraîche hachée

5 ml (1 c. à thé) de sriracha

Pour le tartare de thon :

250 g (environ ½ lb)
de thon très frais

45 ml (3 c. à soupe)
de mayonnaise

15 ml (1 c. à soupe)
de sambal oelek

5 ml (1 c. à thé) d'huile
de sésame grillé

Pour le tartare
de pétoncles :

200 g (environ ½ lb) de
pétoncles moyens (calibre
20/30) très frais

30 ml (2 c. à soupe)
de mayonnaise

30 ml (2 c. à soupe) d'œufs
de poisson volant (tobiko)

5 ml (1 c. à thé) d'huile
de sésame grillé

5 ml (1 c. à thé) de sriracha

6 framboises écrasées

1. Préparer le tartare de saumon. Couper le saumon
en petits dés.

2. Dans un bol, mélanger la mayonnaise avec l'huile
de sésame, la coriandre et la sriracha. Ajouter les dés
de saumon dans le bol. Remuer. Réserver au frais.

3. Préparer le tartare de thon. Couper le thon
en petits dés.

4. Dans un autre bol, mélanger la mayonnaise avec
le sambal oelek et l'huile de sésame. Ajouter les dés
de thon dans le bol. Remuer. Réserver au frais.

5. Préparer le tartare de pétoncles. Couper
les pétoncles en lanières ou en petits dés.

6. Dans un troisième bol, mélanger la mayonnaise avec
les œufs de poisson volant, l'huile de sésame, la sriracha et les framboises. Ajouter les pétoncles dans le bol.
Remuer. Réserver au frais.

7. Arroser les tranches d'avocat de jus de citron.

8. Dans quatre bols, répartir la laitue iceberg. Répartir
séparément les tartares et l'avocat dans les bols.

9. Si désiré, servir avec de la sauce soya.

PAR PORTION	
Protéines	38 g
Lipides	30 g
Glucides	5 g
Fibres	2 g
Glucides nets	**3 g**

Coquilles Saint-Jacques

25 min   **20 min**   **4 portions**

30 ml (2 c. à soupe)
de beurre

30 ml (2 c. à soupe)
d'oignon haché

15 ml (1 c. à soupe)
d'ail haché

½ contenant de champi-
gnons de 227 g, tranchés

60 ml (¼ de tasse) de vin
blanc faible en glucides

250 ml (1 tasse) de crème
à cuisson 35 %

125 ml (½ tasse)
de fromage à la crème
faible en glucides
de type Liberté

1,25 ml (¼ de c. à thé) de
gomme de xanthane

225 g (½ lb) de petites
crevettes (calibre 90/110),
crues et décortiquées

225 g (½ lb) de pétoncles
moyens (calibre 20/30)

250 ml (1 tasse)
de mozzarella râpée

**Pour la purée
de chou-fleur :**

400 g (environ 1 lb)
de chou-fleur coupé
en petits bouquets

15 ml (1 c. à soupe)
de beurre

15 ml (1 c. à soupe)
de fromage à la crème
faible en glucides
de type Liberté

30 ml (2 c. à soupe)
de parmesan râpé

1. Dans une casserole d'eau bouillante, cuire le chou-fleur jusqu'à tendreté. Égoutter.

2. Remettre le chou-fleur dans la casserole. Ajouter le beurre pour la purée, le fromage à la crème pour la purée et le parmesan. Réduire en purée.

3. Pendant ce temps, faire fondre la moitié du beurre dans une poêle à feu moyen. Cuire l'oignon et la moitié de l'ail de 2 à 3 minutes. Ajouter les champignons et cuire jusqu'à ce qu'ils soient dorés.

4. Verser le vin blanc dans la poêle. Laisser mijoter en raclant les parois de la casserole à l'aide d'une cuillère de bois afin de détacher les sucs de cuisson, jusqu'à ce que le liquide ait réduit de moitié.

5. Ajouter la crème et le fromage à la crème. Remuer. Ajouter la gomme de xanthane pour épaissir la sauce.

6. Dans une autre poêle, faire fondre le reste du beurre à feu moyen. Cuire les crevettes, les pétoncles et le reste de l'ail 3 minutes, en retournant les fruits de mer à mi-cuisson. Transférer les fruits de mer dans la poêle contenant la sauce. Remuer.

7. Répartir la sauce aux fruits de mer dans quatre plats allant au four ou dans des assiettes à coquilles Saint-Jacques. À l'aide d'une poche à pâtisserie munie d'une douille cannelée, répartir la purée de chou-fleur sur le pourtour des plats. Garnir de mozzarella.

8. Cuire au four à la position «gril» (*broil*) de 2 à 3 minutes, jusqu'à ce que le fromage soit doré.

PAR PORTION	
Protéines	32 g
Lipides	39 g
Glucides	6 g
Fibres	3 g
Glucides nets	**3 g**

Carré de porc à la crème d'estragon

15 min   **50 min**   **4 portions**

30 ml (2 c. à soupe) de beurre

1 carré de porc de 900 g (2 lb) avec quatre côtes

Sel et poivre au goût

250 ml (1 tasse) de crème à cuisson 35 %

125 ml (½ tasse) de bouillon de poulet

3 tiges d'estragon frais

1. Préchauffer le four à 205 °C (400 °F).

2. Dans une poêle, faire fondre le beurre à feu moyen. Saisir le carré de porc sur toutes les faces de 4 à 5 minutes.

3. Déposer le carré de porc dans un plat allant au four. Saler et poivrer.

4. Cuire au four 45 minutes, jusqu'à ce que la température interne de la viande atteigne 57 °C (135 °F) sur un thermomètre à cuisson.

5. Retirer du four et transférer le carré de porc dans une assiette. Couvrir le carré de porc de papier d'aluminium, sans serrer. Laisser reposer jusqu'à ce que la température interne de la viande atteigne 63 °C (145 °F).

6. Dans une casserole, mélanger la crème avec le bouillon de poulet et l'estragon. Porter à ébullition, puis laisser mijoter à feu doux-moyen jusqu'à ce que la préparation ait réduit de moitié.

7. À l'aide d'une passoire fine, filtrer la sauce.

8. Trancher le carré de porc. Répartir les tranches de porc dans les assiettes, puis napper de sauce.

PAR PORTION	
Protéines	53 g
Lipides	44 g
Glucides	1 g
Fibres	0 g
Glucides nets	**1 g**

POUR ACCOMPAGNER

Haricots verts aux amandes

Par portion : protéines 3 g, lipides 11 g, glucides 7 g, fibres 3 g, **glucides nets 4 g**

Dans une marguerite déposée dans une casserole contenant un peu d'eau bouillante, cuire 450 g (1 lb) de haricots verts à la vapeur jusqu'à ce qu'ils soient *al dente*. Dans une poêle, faire fondre 60 ml (¼ de tasse) de beurre à feu moyen. Cuire les haricots 2 minutes. Ajouter le jus de ½ citron et 80 ml (⅓ de tasse) d'amandes tranchées grillées. Remuer.

Crevettes crémeuses au bacon et saumon fumé

15 min   **17 min**   **4 portions**

4 tranches de bacon coupées en petits morceaux

15 ml (1 c. à soupe) de ghee (beurre clarifié)

250 ml (1 tasse) de champignons tranchés

225 g (½ lb) de crevettes moyennes (calibre 31/40), crues et décortiquées

250 ml (1 tasse) de crème à cuisson 35 %

Sel et poivre au goût

1 paquet de saumon fumé de 120 g, coupé en lanières

1. Dans une poêle antiadhésive, cuire le bacon à feu moyen de 5 à 7 minutes, jusqu'à ce qu'il soit croustillant. Ajouter le ghee et laisser fondre en remuant.

2. Ajouter les champignons et cuire 5 minutes, en remuant à mi-cuisson.

3. Ajouter les crevettes et poursuivre la cuisson 2 minutes.

4. Ajouter la crème. Saler et poivrer. Porter à ébullition.

5. Ajouter le saumon fumé et remuer.

PAR PORTION

Protéines	21 g
Lipides	30 g
Glucides	1 g
Fibres	1 g
Glucides nets	**0 g**

POUR ACCOMPAGNER
Chou-fleur rôti ail et cumin

Par portion : protéines 5 g, lipides 13 g, glucides 5 g, fibres 0 g, **glucides nets 5 g**

Dans un bol, mélanger 60 ml (¼ de tasse) de beurre ramolli avec 3 gousses d'ail hachées, 1 pincée de cumin et 1 pincée de paprika. Saler et poivrer. Badigeonner 1 chou-fleur de 1,2 kg (environ 2 ⅔ lb) du beurre parfumé. Déposer le chou-fleur dans un plat de cuisson, puis couvrir de papier parchemin. Cuire au four 1 heure à 205 °C (400 °F). Vérifier la cuisson et arroser le chou-fleur du jus de cuisson. Poursuivre la cuisson 15 minutes.

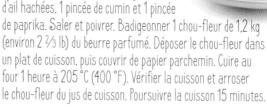

Escalopes de veau au whisky

15 min   **17 min**   **4 portions**

30 ml (2 c. à soupe)
d'huile d'olive

4 escalopes de veau
de 120 g (environ ¼ de lb)
chacune

Sel et poivre au goût

45 ml (3 c. à soupe)
de beurre

80 ml (⅓ de tasse)
d'échalotes sèches
(françaises) hachées

1 gousse d'ail hachée

1 contenant de champi-
gnons de 227 g

125 ml (½ tasse)
de whisky

180 ml (¾ de tasse)
de bouillon de bœuf

125 ml (½ tasse) de crème
à cuisson 35 %

15 ml (1 c. à soupe)
d'estragon frais haché

1. Dans une grande poêle, chauffer l'huile à feu moyen-élevé. Faire dorer les escalopes de veau de 30 secondes à 1 minute de chaque côté. Saler et poivrer. Réserver dans une assiette.

2. Dans la même poêle, faire fondre le beurre à feu moyen. Cuire les échalotes et l'ail de 1 à 2 minutes. Ajouter les champignons et cuire jusqu'à ce qu'ils soient dorés.

3. Verser le whisky. Porter à ébullition en raclant les parois de la casserole à l'aide d'une cuillère en bois afin de détacher les sucs de cuisson, puis laisser mijoter jusqu'à ce que le liquide ait réduit de moitié.

4. Verser le bouillon de bœuf. Laisser mijoter jusqu'à absorption presque complète du liquide.

5. Verser la crème et porter à ébullition.

6. Ajouter les escalopes de veau dans la poêle. Laisser mijoter 5 minutes à feu doux.

7. Au moment de servir, garnir d'estragon.

Servez cette recette avec 100 g (3 ½ oz) d'asperges par personne. Cuisez-les au four à la position « gril » (*broil*) de 6 à 7 minutes. Cela ajoutera à votre repas 2 g de glucides nets par personne.

PAR PORTION	
Protéines	25 g
Lipides	32 g
Glucides	6 g
Fibres	1 g
Glucides nets	**5 g**

Crevettes crémeuses au vin blanc

20 min   **12 min**   **4 portions**

15 ml (1 c. à soupe)
de beurre

1 échalote sèche
(française) hachée

3 gousses d'ail hachées

400 g (environ 1 lb) de
crevettes d'Argentine
crues et décortiquées

125 ml (½ tasse) de vin
blanc faible en glucides

125 ml (½ tasse) de
bouillon de poulet

250 ml (1 tasse) de crème
à cuisson 35 %

4 petites courgettes
taillées en spirales

1. Dans une grande poêle, faire fondre le beurre à feu moyen. Cuire l'échalote 1 minute.

2. Ajouter l'ail et cuire 1 minute.

3. Ajouter les crevettes. Cuire 3 minutes, en retournant les crevettes à mi-cuisson. Réserver les crevettes dans une assiette.

4. Verser le vin blanc dans la poêle. Laisser mijoter à feu moyen en raclant les parois de la casserole à l'aide d'une cuillère de bois afin de détacher les sucs de cuisson, jusqu'à ce que le liquide ait réduit de moitié.

5. Ajouter le bouillon de poulet et la crème. Laisser mijoter 5 minutes, jusqu'à ce que la préparation soit onctueuse.

6. Ajouter les spirales de courgettes. Remuer. Cuire 2 minutes.

7. Remettre les crevettes dans la poêle et remuer.

PAR PORTION

Protéines	23 g
Lipides	25 g
Glucides	5 g
Fibres	2 g
Glucides nets	**3 g**

Canard laqué

15 min   **2 heures**   **4 portions**

1 canard entier

3 anis étoilés

1 morceau de gingembre
de 5 cm x 7 cm (environ
2 po x 3 po)

4 gousses d'ail non pelées

Pour la sauce hoisin :

60 ml (¼ de tasse)
de sauce soya

30 ml (2 c. à soupe) d'eau

30 ml (2 c. à soupe) de
beurre d'arachide naturel

30 ml (2 c. à soupe)
de stévia ou autre
sucrant naturel

5 ml (1 c. à thé) de
vinaigre de riz

5 ml (1 c. à thé) de sriracha

5 gousses d'ail hachées

1. Retirer l'excédent de gras du canard. Farcir la cavité du canard avec les anis étoilés, le gingembre et l'ail. Ne pas attacher les pattes du canard.

2. Dans une casserole pouvant contenir le canard, verser environ 2,5 cm (1 po) d'eau chaude. Au fond de la casserole, déposer une grille dont la hauteur dépasse le niveau de l'eau afin que le canard ne touche pas l'eau. Déposer le canard sur la grille.

3. Porter à ébullition, puis couvrir et laisser mijoter à feu doux 1 heure 30 minutes en vérifiant le niveau de l'eau de temps en temps afin qu'il y en ait toujours environ 2,5 cm (1 po). Retirer du feu.

4. Préchauffer le four à 205 °C (400 °F).

5. Dans le contenant du mélangeur, déposer les ingrédients de la sauce hoisin. Mélanger 1 minute, jusqu'à l'obtention d'une consistance sirupeuse.

6. Déposer le canard avec la grille sur une plaque de cuisson tapissée de papier parchemin. Badigeonner le canard avec une partie de la sauce hoisin. Laisser reposer 10 minutes.

7. Badigeonner le canard de sauce de nouveau.

8. Cuire au four 30 minutes, en badigeonnant le canard de sauce hoisin régulièrement, jusqu'à ce qu'un thermomètre de cuisson inséré dans une cuisse (sans toucher l'os) indique 82 °C (180 °F).

PAR PORTION	
Protéines	22 g
Lipides	14 g
Glucides	3 g
Fibres	1 g
Glucides nets	**2 g**

POUR ACCOMPAGNER
Asperges enroulées de bacon
Par portion : protéines 12 g, lipides 9 g, glucides 3 g, fibres 2 g, **glucides nets 1 g**

Précuire 12 tranches de bacon 5 minutes au four. Laisser refroidir. Pendant ce temps, couper les extrémités de 24 asperges. Former douze paquets de deux asperges chacun. Enrouler une tranche de bacon autour de chaque paquet d'asperges. Déposer les paquets d'asperges sur une plaque de cuisson tapissée de papier parchemin. Cuire au four 15 minutes à 205 °C (400 °F), en retournant les asperges à mi-cuisson, jusqu'à ce que le bacon soit croustillant.

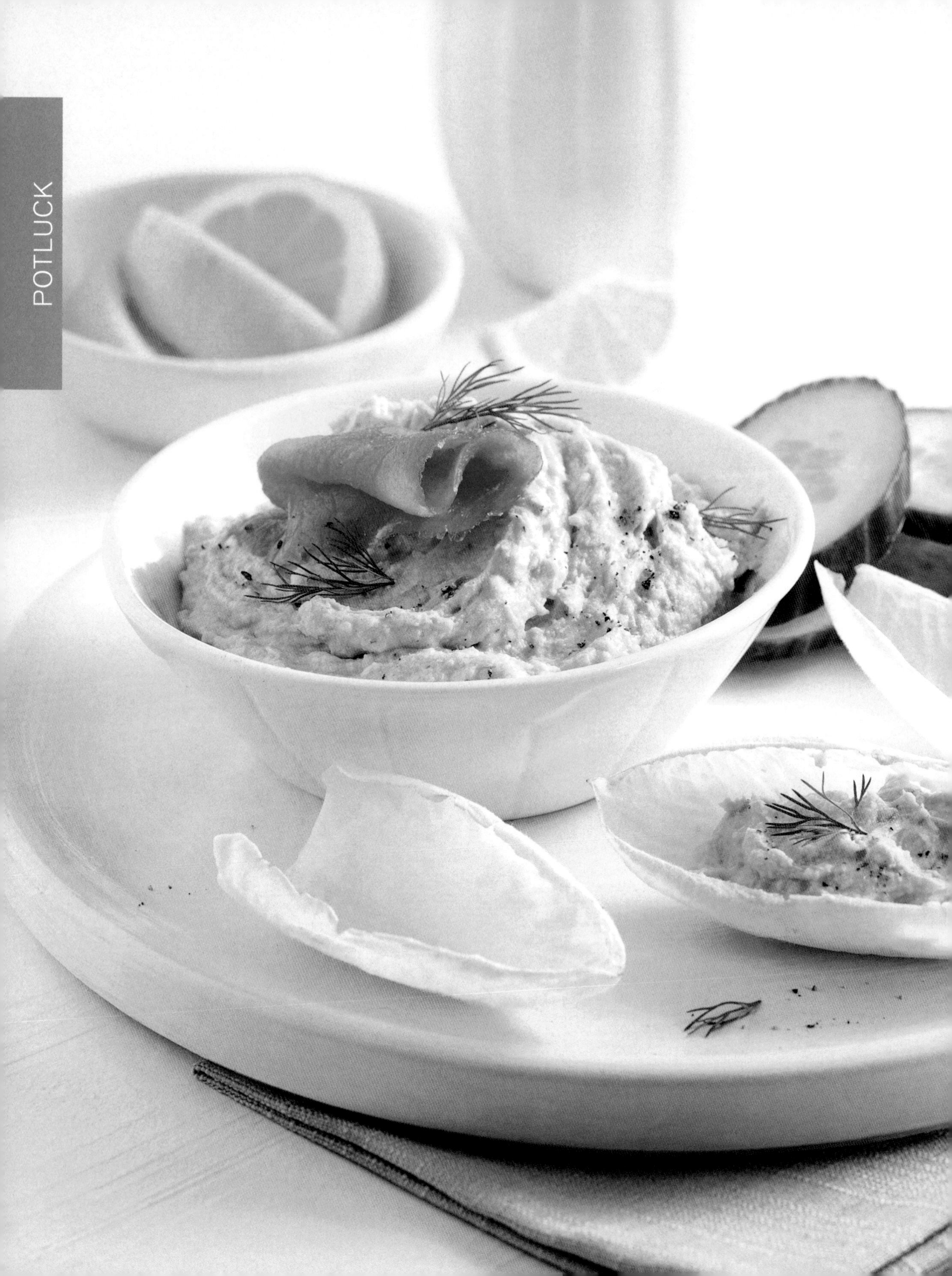

POTLUCK

La formule *potluck* est sans contredit celle que je préfère pour recevoir ou pour être invitée ! De cette façon, je suis certaine d'avoir des options pour ne pas dériver de mon alimentation. Voici quelques recettes qui confondront même vos amis non céto !

— Josey Arsenault

Tarte au chèvre et oignons caramélisés

25 min　　**35 min**　　**4 portions**

30 ml (2 c. à soupe)
d'huile d'olive

2 petits oignons
rouges émincés

15 ml (1 c. à soupe) de
vinaigre balsamique

30 ml (2 c. à soupe)
d'érythritol

4 œufs (2 œufs entiers
+ 2 jaunes d'œufs)

180 ml (¾ de tasse) de
crème à cuisson 35 %

1 pincée de muscade

Sel et poivre au goût

100 g (3 ½ oz) de bûchette
de fromage de chèvre
coupée en rondelles

10 pointes fines d'asperges

Pour la croûte :

250 ml (1 tasse)
de poudre d'amandes

250 ml (1 tasse)
de parmesan râpé

2 blancs d'œufs

Sel au goût

1. Préchauffer le four à 190 °C (375 °F).

2. Dans un bol, mélanger les ingrédients de la croûte.

3. Déposer le mélange dans une grande assiette à tarte ou dans deux petites. Presser fermement sur le fond et les parois de façon à obtenir une croûte uniforme. Cuire au four 10 minutes.

4. Dans une poêle, chauffer l'huile d'olive à feu moyen. Cuire les oignons rouges 1 minute, jusqu'à tendreté.

5. Ajouter le vinaigre balsamique et l'érythritol. Laisser mijoter jusqu'à ce que le liquide ait réduit.

6. Dans un bol, mélanger les œufs entiers avec les jaunes d'œufs, la crème et la muscade. Saler et poivrer.

7. Déposer la préparation aux oignons, les rondelles de fromage de chèvre et les asperges sur la croûte à tarte. Verser la préparation aux œufs.

8. Ajuster la température du four à 180 °C (350 °F). Cuire au four 25 minutes.

PAR PORTION	
Protéines	26 g
Lipides	53 g
Glucides	9 g
Fibres	3 g
Glucides nets	**6 g**

Œufs farcis avocat et crevettes

20 min **12 demi-œufs farcis**

6 œufs cuits dur

½ avocat

60 ml (¼ de tasse) de mayonnaise

10 ml (2 c. à thé) de jus de citron frais

15 ml (1 c. à soupe) de ciboulette fraîche hachée

75 g (125 ml) de crevettes nordiques

Sel et poivre au goût

1. Trancher les œufs en deux sur la longueur. Retirer le jaune en prenant soin de ne pas abîmer le blanc.

2. Dans un bol, écraser les jaunes d'œufs et l'avocat avec la mayonnaise, le jus de citron et la ciboulette.

3. Hacher la moitié des crevettes. Ajouter dans le bol. Saler, poivrer et remuer.

4. Remplir une poche à pâtisserie munie d'une douille cannelée de la préparation aux jaunes d'œufs. Garnir les blancs d'œufs avec la préparation.

5. Garnir les œufs des crevettes restantes. Réserver au frais jusqu'au moment de servir.

PAR PORTION	
Protéines	9 g
Lipides	13 g
Glucides	1 g
Fibres	1 g
Glucides nets	**0 g**

Œufs farcis au saumon fumé

20 min **12 demi-œufs farcis**

6 œufs cuits dur

105 g (environ 3 ½ oz) de saumon fumé

60 ml (¼ de tasse) de mayonnaise

5 ml (1 c. à thé) de moutarde de Dijon

5 ml (1 c. à thé) d'aneth frais haché

10 ml (2 c. à thé) de câpres hachées

1. Trancher les œufs en deux sur la longueur. Retirer le jaune en prenant soin de ne pas abîmer le blanc.

2. Hacher 75 g de saumon fumé.

3. Dans un bol, écraser les jaunes d'œufs avec la mayonnaise, la moutarde de Dijon, l'aneth, les câpres et le saumon fumé haché.

4. Remplir une poche à pâtisserie munie d'une douille cannelée de la préparation aux jaunes d'œufs. Garnir les blancs d'œufs avec la préparation.

5. Couper le saumon fumé restant en lanières. Garnir les œufs de lanières de saumon fumé. Réserver au frais jusqu'au moment de servir.

PAR PORTION	
Protéines	9 g
Lipides	12 g
Glucides	1 g
Fibres	0 g
Glucides nets	**1 g**

Salade de patates (sans patates !)

20 min   **5 min**   **30 min**   **4 portions**

10 radis lavés
et coupés en deux

30 ml (2 c. à soupe)
d'huile d'olive

250 ml (1 tasse) d'eau

Sel et poivre au goût

400 g (environ 1 lb)
de chou-fleur coupé en
petits bouquets

2 œufs cuits dur coupés
en morceaux

2 cornichons
à l'aneth hachés

125 ml (½ tasse)
de mayonnaise

60 ml (¼ de tasse)
de crème sure

15 ml (1 c. à soupe) de
moutarde de Dijon

15 ml (1 c. à soupe) de jus
de cornichons

5 ml (1 c. à thé) de jus
de citron frais

1. Dans une grande poêle, mélanger les radis avec
l'huile d'olive, l'eau et une bonne pincée de sel. Porter
à ébullition.

2. Ajouter le chou-fleur. Couvrir et cuire 5 minutes
à feu doux.

3. Égoutter les légumes, puis les déposer sur du
papier absorbant.

4. Dans un saladier, mélanger les œufs cuits dur
avec les cornichons, la mayonnaise, la crème sure,
la moutarde, le jus de cornichons et le jus de citron.

5. Ajouter les légumes dans le saladier et remuer.
Réfrigérer 30 minutes avant de servir.

PAR PORTION	
Protéines	7 g
Lipides	32 g
Glucides	5 g
Fibres	2 g
Glucides nets	**3 g**

Tartinade au saumon fumé

15 min **1 heure** **8 portions**

1 paquet de saumon
fumé de 120 g

1 contenant de fromage à la
crème de 250 g, ramolli

180 ml (¾ de tasse) de
cheddar râpé finement

15 ml (1 c. à soupe) de
ciboulette fraîche hachée

15 ml (1 c. à soupe)
d'aneth frais haché

10 ml (2 c. à thé) de jus
de citron frais

Sel et poivre au goût

1. Couper le saumon fumé en petits dés.

2. À l'aide du batteur électrique, fouetter le fromage à
la crème avec le cheddar, les fines herbes et le jus de
citron jusqu'à l'obtention d'une préparation homogène.

3. Ajouter le saumon fumé et fouetter à l'aide du batteur
électrique. Saler et poivrer.

4. Couvrir d'une pellicule plastique et réfrigérer
au moins 1 heure avant de servir.

5. Servir sur des tranches de concombre ou
des endives.

PAR PORTION	
Protéines	7 g
Lipides	11 g
Glucides	1 g
Fibres	0 g
Glucides nets	**1 g**

Ailes de poulet Buffalo

15 min

42 min

24 ailes

1 kg (environ 2 ¼ lb)
d'ailes de poulet

Pour la sauce :

250 ml (1 tasse) de sauce
piquante (de type Red Hot)

250 ml (1 tasse) de beurre

5 ml (1 c. à thé) de paprika

2,5 ml (½ c. à thé) de
piment de Cayenne

4 gousses d'ail hachées

Sel et poivre au goût

1. Préchauffer le four à 205 °C (400 °F).

2. Dans une poêle, porter les ingrédients de la sauce
à ébullition à feu moyen.

3. Ajouter les ailes de poulet et remuer afin de bien
les enrober de sauce.

4. Tapisser une plaque de cuisson de papier parchemin,
puis y déposer les ailes de poulet.

5. Cuire au four 40 minutes, en retournant les ailes
et en les badigeonnant de sauce à mi-cuisson, jusqu'à
ce que l'intérieur de la chair du poulet ait perdu sa
teinte rosée.

6. Régler le four à la position «gril» (*broil*) et poursuivre
la cuisson de 2 à 3 minutes.

PAR PORTION
1 aile

Protéines	45 g
Lipides	37,75 g
Glucides	0 g
Fibres	0 g
Glucides nets	**0 g**

Rillauds

15 min   **24 heures**   **3 heures**   **1 heure**   **8 portions**

1 kg (environ 2 ¼ lb) de flanc de porc avec la couenne, désossé et coupé en morceaux de 1 po x 3 po (demandez à votre boucher)

30 ml (2 c. à soupe) de gros sel

1 kg (environ 2 ¼ lb) de saindoux ou de gras de dos (demandez à votre boucher)

1. Déposer les morceaux de porc dans un grand contenant. Saupoudrer de gros sel, puis bien mélanger. Couvrir d'une pellicule plastique. Réfrigérer 24 heures.

2. Si du saindoux est utilisé, le faire fondre dans une casserole. Si du gras de dos est utilisé, faire bouillir 125 ml (½ tasse) d'eau dans une grande casserole et faire fondre le gras en remuant régulièrement. L'opération peut prendre jusqu'à 1 heure.

3. Prélever un peu de gras contenu dans la casserole et le déposer dans une poêle. Faire dorer les morceaux de porc dans la poêle à feu moyen.

4. Transférer les morceaux de porc dans la casserole contenant le gras. Porter à ébullition, puis laisser mijoter 2 heures à feu doux.

5. Laisser tiédir dans la casserole 1 heure. Égoutter et servir.

PAR PORTION

Protéines	26 g
Lipides	38 g
Glucides	0 g
Fibres	0 g
Glucides nets	**0 g**

Pain aux noix

15 min   **1 heure**   **12 tranches**

125 ml (½ tasse)
d'huile d'olive ou d'huile
de noix de coco

100 g (3 ½ oz) de graines
de citrouille

100 g (3 ½ oz) de graines
de tournesol

100 g (3 ½ oz) d'amandes

100 g (3 ½ oz) de pacanes
ou de noix de Grenoble

100 g (3 ½ oz)
de graines de lin

100 g (3 ½ oz) de graines
de sésame

5 œufs

2,5 ml (½ c. à thé) de sel

1. Préchauffer le four à 160°C (320°F).

2. Dans un bol, mélanger tous les ingrédients.

3. Couvrir le fond d'un moule à pain de papier parchemin, puis y déposer la préparation aux noix. Égaliser la surface en pressant.

4. Cuire au four 1 heure.

PAR PORTION
1 tranche

Protéines	17 g
Lipides	48 g
Glucides	15 g
Fibres	9 g
Glucides nets	**6 g**

Pâté de foie au whisky

20 min

10 min

16 portions

260 ml (1 tasse +
2 c. à thé) de beurre à
température ambiante

650 g (environ 1 ½ lb)
de foies de volaille

1 gousse d'ail hachée

1 oignon haché

45 ml (3 c. à soupe)
de whisky

1. Dans une poêle, faire fondre 60 ml (¼ de tasse) de beurre à feu moyen. Cuire les foies de volaille, l'ail et l'oignon 10 minutes, jusqu'à ce que les foies soient cuits, mais encore moelleux. Retirer du feu et laisser tiédir.

2. Déposer la préparation dans le contenant du robot culinaire en prenant soin de ne pas verser le beurre de cuisson. Mélanger en ajoutant graduellement le beurre de cuisson et le whisky, jusqu'à l'obtention d'une consistance lisse.

Servez ce pâté de foie avec le pain aux noix de la page 178 !

PAR PORTION	
Protéines	10 g
Lipides	15 g
Glucides	1 g
Fibres	0 g
Glucides nets	**1 g**

25 min   **2 min**   **30 min**   **4 portions**

Salade de poulet aux arachides

400 g (environ 1 lb) de poulet cuit haché grossièrement

400 g (environ 1 lb) de chou haché finement

180 ml (¾ de tasse) de carotte râpée

30 ml (2 c. à soupe) de coriandre fraîche hachée

Pour la vinaigrette :

80 ml (⅓ de tasse) de lait de coco

10 ml (2 c. à thé) de pâte de cari rouge

60 ml (¼ de tasse) de beurre d'arachide naturel croquant

15 ml (1 c. à soupe) de gingembre haché

15 ml (1 c. à soupe) de sauce soya

15 ml (1 c. à soupe) de sucre granulé (de type Swerve)

5 ml (1 c. à thé) de sambal oelek

1. Dans une poêle, porter à ébullition le lait de coco avec la pâte de cari.

2. Ajouter le reste des ingrédients de la vinaigrette, puis laisser mijoter de 2 à 3 minutes à feu doux.

3. Transférer la vinaigrette dans un saladier et laisser tiédir. Réfrigérer 30 minutes.

4. Dans le saladier, ajouter le poulet, le chou, la carotte et la coriandre. Remuer.

PAR PORTION	
Protéines	39 g
Lipides	12 g
Glucides	11 g
Fibres	7 g
Glucides nets	**4 g**

20 min **20 min** **12 biscuits**

Biscuits bacon-fromage

5 tranches de
bacon hachées

30 ml (2 c. à soupe) de
fromage à la crème

15 ml (1 c. à soupe)
de psyllium

7,5 ml (½ c. à soupe)
de poudre à pâte

250 ml (1 tasse)
de cheddar râpé

125 ml (½ tasse) de
mozzarella râpée

3 œufs

Sel et poivre au goût

1. Préchauffer le four à 180°C (350°F).

2. Dans une poêle, cuire le bacon de 5 à 7 minutes, jusqu'à ce qu'il soit cuit. Réserver 15 ml (1 c. à soupe) de bacon dans un bol pour garnir les biscuits.

3. Réduire l'intensité du feu et ajouter le fromage à la crème dans la poêle. Laisser fondre environ 5 minutes.

4. Dans le contenant du robot culinaire, mélanger la préparation au bacon et fromage à la crème avec le psyllium, la poudre à pâte, le cheddar, la mozzarella et les œufs jusqu'à l'obtention d'une préparation homogène. Saler et poivrer.

5. Former douze biscuits avec la préparation.

6. Tapisser une plaque de cuisson de papier parchemin, puis y déposer les biscuits. Répartir le bacon réservé sur les biscuits.

7. Cuire au four 15 minutes.

PAR PORTION

1 biscuit	
Protéines	7 g
Lipides	9 g
Glucides	2 g
Fibres	1 g
Glucides nets	**1 g**

Brie fondant aux champignons et oignons caramélisés

30 min　　**24 min**　　**6 portions**

30 ml (2 c. à soupe)
de beurre

1 petit oignon rouge émincé

60 ml (¼ de tasse) de
champignons tranchés

280 ml (1 tasse
+ 2 c. à soupe) de
mozzarella râpée

125 ml (½ tasse) de poudre
d'amandes

1 fromage brie de 200 g

1. Dans une poêle, faire fondre la moitié du beurre à feu moyen. Cuire l'oignon rouge de 5 à 7 minutes en remuant de temps en temps, jusqu'à ce qu'il soit caramélisé. Réserver dans une assiette.

2. Dans la même poêle, faire fondre le reste du beurre à feu moyen. Cuire les champignons de 4 à 5 minutes.

3. Préchauffer le four à 180 °C (350 °F).

4. Dans un bol allant au micro-ondes, déposer la mozzarella. Chauffer au micro-ondes de 30 secondes à 1 minute. Ajouter la poudre d'amandes. À l'aide d'une fourchette, mélanger la mozzarella avec la poudre d'amandes jusqu'à l'obtention d'une pâte.

5. À l'aide d'un rouleau à pâte, abaisser la pâte jusqu'à ce qu'elle soit assez grande pour envelopper le brie.

6. Déposer la pâte sur une plaque de cuisson tapissée de papier parchemin. Déposer le brie au centre de la pâte, puis le garnir d'oignon caramélisé et de champignons.

7. Rabattre la pâte sur le brie afin de bien l'enrober. Fermer la pâte en scellant bien.

8. Cuire au four de 15 à 18 minutes, jusqu'à ce que la pâte soit dorée.

9. Retirer du four et laisser tiédir 5 minutes avant de servir.

PAR PORTION	
Protéines	16 g
Lipides	21 g
Glucides	4 g
Fibres	1 g
Glucides nets	**3 g**

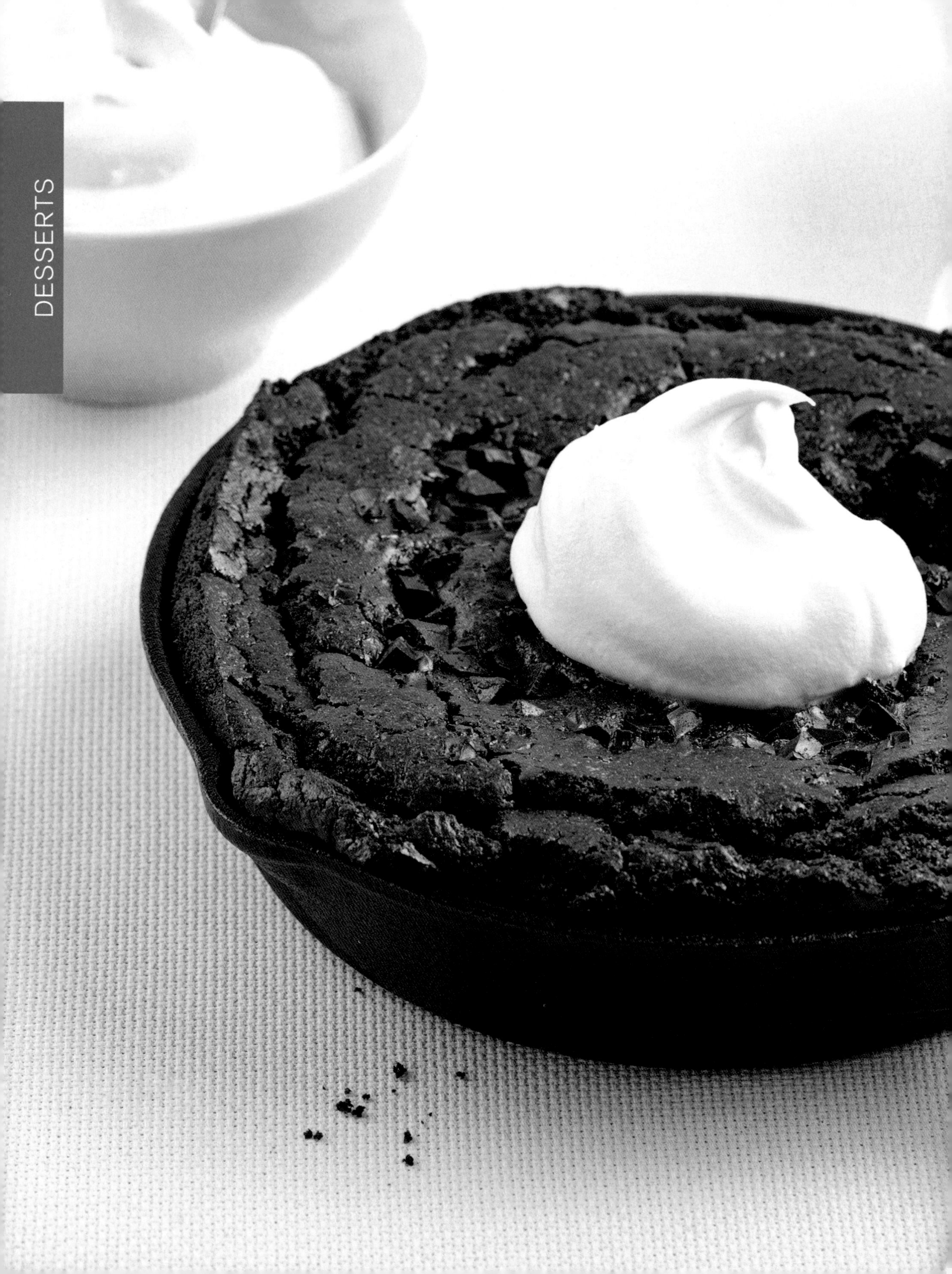

DESSERTS

« Je dois vous avouer que je ne mange presque plus de desserts. Je n'ai plus le goût du sucre ! Mais si vous êtes des adeptes de gâteries sucrées, en voici quelques-unes qui sauront faire plaisir à votre palais ! »

— Josey Arsenault

Gâteau aux carottes

25 min **50 min** **10 portions**

Pour le gâteau :

5 œufs

200 ml (¾ de tasse + 4 c. à thé) de beurre fondu

60 ml (¼ de tasse) d'érythritol

10 ml (2 c. à thé) d'extrait de vanille

300 g (⅔ de lb) de carottes râpées

100 ml (⅓ de tasse + 4 c. à thé) de noix de Grenoble hachées

320 ml (1 ¼ + 2 c. à thé) de noix de coco non sucrée râpée

320 ml (1 ¼ tasse + 2 c. à thé) de poudre d'amandes

10 ml (2 c. à thé) de piment de la Jamaïque (quatre-épices) moulu

5 ml (1 c. à thé) de cannelle

10 ml (2 c. à thé) de poudre à pâte

Pour le glaçage :

200 g (environ ½ lb) de fromage à la crème

30 ml (2 c. à soupe) d'érythritol

15 ml (1 c. à soupe) de beurre

1 citron (zeste)

1. Préchauffer le four à 180 °C (350 °F).

2. Dans un bol, fouetter les œufs avec le beurre fondu, l'érythritol pour le gâteau et la vanille.

3. Ajouter les carottes, les noix de Grenoble et la noix de coco. Remuer.

4. Ajouter la poudre d'amandes, les épices et la poudre à pâte. Remuer.

5. Verser la préparation dans un moule à gâteau rond de 20 cm (8 po). Cuire au four 50 minutes, jusqu'à ce qu'un cure-dent inséré au centre du gâteau en ressorte propre. Retirer du four et laisser tiédir sur une grille.

6. Pendant ce temps, chauffer le fromage à la crème 20 secondes au micro-ondes. Ajouter l'érythritol, le beurre et le zeste. Remuer.

7. Glacer le gâteau.

PAR PORTION	
Protéines	10 g
Lipides	40 g
Glucides	9 g
Fibres	3 g
Glucides nets	**6 g**

Gâteau au citron

20 min   **50 min**   **20 min**   **12 portions**

125 ml (½ tasse)
de ghee (beurre clarifié)
ou de beurre ordinaire

2,5 ml (½ c. à thé)
d'extrait d'amande

60 ml (¼ de tasse)
d'érythritol

250 ml (1 tasse)
de ricotta 13 %

2,5 ml (½ c. à thé)
d'extrait de citron

45 ml (3 c. à soupe)
de jus de citron frais

4 œufs

250 ml (1 tasse)
de poudre d'amandes

60 ml (¼ de tasse)
de farine de noix de coco

10 ml (2 c. à thé)
de poudre à pâte

1,25 ml (¼ de c. à thé)
de sel

Sucre à glacer (de type
Swerve) au goût (facultatif)

1. Préchauffer le four à 162 °C (325 °F).

2. Dans un bol, fouetter le ghee avec l'extrait d'amande et l'érythritol à l'aide du batteur électrique.

3. Incorporer la ricotta, l'extrait de citron et le jus de citron en fouettant.

4. Incorporer les œufs un à un en fouettant entre chaque addition.

5. Dans un autre bol, mélanger la poudre d'amandes avec la farine de noix de coco, la poudre à pâte et le sel.

6. Incorporer graduellement les ingrédients secs aux ingrédients liquides et mélanger jusqu'à l'obtention d'une préparation homogène.

7. Tapisser un moule à pain de 20 cm x 10 cm (8 po x 4 po) de papier parchemin, puis y verser la pâte. Égaliser la surface.

8. Cuire au four 50 minutes, jusqu'à ce qu'un cure-dent inséré au centre du gâteau en ressorte propre.

9. Retirer du four et laisser tiédir 20 minutes avant de démouler.

10. Si désiré, saupoudrer de sucre à glacer.

PAR PORTION	
Protéines	7 g
Lipides	24 g
Glucides	4 g
Fibres	2 g
Glucides nets	**2 g**

Brownie dans une poêle

20 min   **25 min**   **12 portions**

250 ml (1 tasse)
de poudre d'amandes

125 ml (½ tasse)
de cacao

60 ml (¼ de tasse)
d'érythritol

10 ml (2 c. à thé)
de cannelle

10 ml (2 c. à thé)
de poudre à pâte

1 pincée de sel

180 ml (¾ de tasse) d'huile
de noix de coco fondue

4 œufs

37,5 ml (2 ½ c. à soupe)
de beurre d'arachide naturel

125 ml (½ tasse)
de boisson aux amandes
nature non sucrée

10 ml (2 c. à thé)
d'extrait de vanille

40 g (environ 1 ½ oz)
de chocolat noir 90 % râpé

1. Préchauffer le four à 162 °C (325 °F).

2. Dans un bol, mélanger la poudre d'amandes avec le cacao, l'érythritol, la cannelle, la poudre à pâte et le sel.

3. Ajouter l'huile de noix de coco, les œufs, le beurre d'arachide, la boisson aux amandes et la vanille. Remuer jusqu'à l'obtention d'une préparation homogène.

4. Huiler une poêle allant au four de 20 cm (8 po) de diamètre, puis y verser la pâte. Parsemer de chocolat râpé.

5. Cuire au four de 25 à 30 minutes.

Si vous le désirez, vous pouvez garnir votre brownie de yogourt 10 % ou de crème fouettée maison !

PAR PORTION	
Protéines	13 g
Lipides	24 g
Glucides	8 g
Fibres	4 g
Glucides nets	**4 g**

Danoises aux framboises

30 min **16 min** **1 heure** **8 danoises**

125 ml (½ tasse)
de poudre d'amandes

60 ml (¼ de tasse)
de farine de noix de coco

30 ml (2 c. à soupe)
d'érythritol

5 ml (1 c. à thé)
de poudre à pâte

75 ml (5 c. à soupe)
de beurre

170 g (environ ⅓ de lb)
de mozzarella râpée

1 œuf

5 ml (1 c. à thé)
d'extrait de vanille

250 ml (1 tasse)
de framboises

Pour la garniture :

115 g (¼ de lb)
de fromage à la crème

60 ml (¼ de tasse)
de crème à fouetter 35 %
à température ambiante

30 ml (2 c. à soupe)
d'érythritol

5 ml (1 c. à thé)
de zestes de citron

1. Dans un bol, mélanger la poudre d'amandes avec la farine de noix de coco, l'érythritol et la poudre à pâte.

2. Dans une poêle, faire fondre le beurre à feu doux. Ajouter la mozzarella et chauffer de 1 à 2 minutes en remuant constamment, jusqu'à ce que le fromage soit fondu.

3. Ajouter l'œuf et la vanille dans la poêle. Remuer.

4. Incorporer la préparation à la farine dans la poêle et chauffer à feu doux en remuant, jusqu'à l'obtention d'une pâte. Retirer du feu.

5. Déposer la pâte sur la surface de travail, puis pétrir de 2 à 3 minutes afin d'obtenir une boule de pâte lisse. Envelopper la boule de pâte dans une pellicule plastique et réfrigérer 1 heure.

6. Au moment de la cuisson, préchauffer le four à 180°C (350°F).

7. Déposer la pâte entre deux feuilles de papier parchemin. À l'aide d'un rouleau à pâte, abaisser la pâte en un rectangle d'environ 38 cm x 20 cm (15 po x 8 po).

8. À l'aide d'un emporte-pièce rond de 10 cm (4 po), tailler huit cercles dans la pâte.

9. Tapisser une plaque de cuisson de papier parchemin, puis y déposer les cercles de pâte.

10. Dans un bol, mélanger les ingrédients de la garniture.

11. Répartir la garniture sur les cercles de pâte, en laissant un pourtour libre de 1 cm (½ po). Garnir de framboises.

12. Cuire au four 15 minutes.

PAR PORTION

1 danoise

Protéines	8 g
Lipides	19 g
Glucides	7 g
Fibres	3 g
Glucides nets	**4 g**

Barres au citron

15 min   **50 min**   **8 barres**

125 ml (½ tasse)
de beurre fondu

430 ml (1 ¾ tasse)
de poudre d'amandes

80 ml (⅓ de tasse)
d'érythritol

1 pincée de sel

3 citrons

3 œufs

1. Préchauffer le four à 180 °C (350 °F).

2. Dans un bol, mélanger le beurre fondu avec 250 ml (1 tasse) de poudre d'amandes, 60 ml (¼ de tasse) d'érythritol et le sel.

3. Tapisser un plat de cuisson carré de 20 cm (8 po) de papier parchemin, puis y étaler la préparation. Égaliser la surface en pressant.

4. Cuire au four 20 minutes.

5. Retirer du four et laisser reposer 10 minutes.

6. Pendant ce temps, prélever le zeste d'un citron.

7. Couper les trois citrons en deux. Au-dessus d'un bol, presser les citrons afin de récupérer le jus. Ajouter le zeste du citron, les œufs, le reste de l'érythritol et le reste de la poudre d'amandes. Remuer.

8. Verser la préparation au citron sur la croûte. Poursuivre la cuisson au four 30 minutes.

9. Retirer du four et laisser tiédir. Couper en huit barres.

PAR PORTION

1 barre

Protéines	4 g
Lipides	16 g
Glucides	4 g
Fibres	1 g
Glucides nets	**3 g**

Tarte au « sucre » à la crème

20 min   **40 min**   **2 heures**   **8 portions**

Pour la croûte :

625 ml (2 ½ tasses)
de poudre d'amandes

80 ml (⅓ de tasse)
d'érythritol

1,25 ml (¼ de c. à thé)
de sel

60 ml (¼ de tasse)
de beurre

1 œuf

2,5 ml (½ c. à thé)
d'extrait de vanille

**Pour la garniture
au caramel :**

250 ml (1 tasse)
de beurre salé

75 ml (5 c. à soupe)
d'érythritol

500 ml (2 tasses)
de crème à cuisson 35 %

15 ml (1 c. à soupe)
d'extrait de vanille

1. Préchauffer le four à 180 °C (350 °F).

2. Dans un bol, mélanger la poudre d'amandes avec l'érythritol et le sel.

3. Dans un autre bol, mélanger le beurre pour la croûte avec l'œuf et la vanille.

4. Incorporer la préparation au beurre au mélange de farine et remuer jusqu'à l'obtention d'une préparation homogène.

5. Beurrer une assiette à tarte de 23 cm (9 po) de diamètre, puis y déposer la croûte. Presser fermement sur le fond et les parois de façon à obtenir une croûte uniforme.

6. Cuire au four de 10 à 12 minutes. Retirer du four et laisser tiédir.

7. Dans une casserole, faire fondre le beurre pour la garniture avec l'érythritol à feu doux. Laisser mijoter 15 minutes en remuant de temps en temps.

8. Verser la crème dans la casserole. Laisser mijoter 15 minutes, jusqu'à l'obtention d'une couleur ambrée et jusqu'à ce que la préparation nappe le dos d'une cuillère.

9. Retirer du feu et ajouter la vanille. Remuer. Laisser tiédir.

10. Verser la garniture au caramel sur la croûte. Réfrigérer au moins 2 heures.

PAR PORTION	
Protéines	8 g
Lipides	67 g
Glucides	5 g
Fibres	3 g
Glucides nets	**2 g**

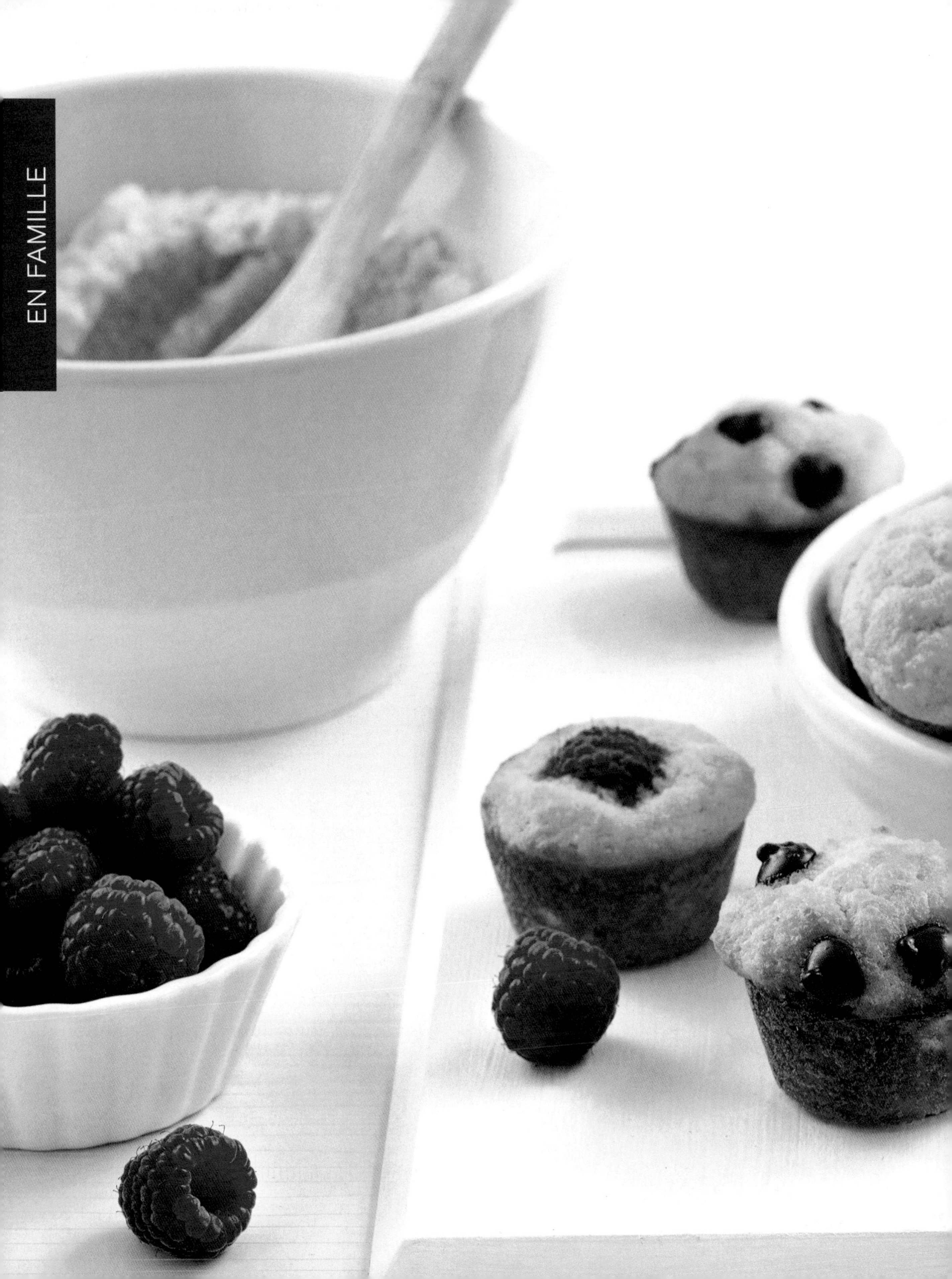

EN FAMILLE

« Quand j'ai adopté l'alimentation faible en glucides en mai 2016, je l'ai fait d'abord et avant tout pour moi-même, et c'est ce que je recommande à mes patients de faire. Après en avoir constaté les immenses bienfaits pour ma santé et mon bien-être, j'ai commencé à m'inquiéter pour le futur de mes enfants. Ceux-ci sont actuellement en excellente santé, avec un poids normal. Quand j'avais leur âge, pratiquement tous les enfants étaient minces. Aujourd'hui, au Québec, environ 1 enfant sur 4 a un problème de poids et on estime que 1 sur 10 pourrait avoir le foie gras.

L'Organisation mondiale de la Santé recommande de ramener les apports en sucres libres à moins de 10 % de la ration énergétique totale chez les adultes et les enfants, et idéalement à moins de 5 %, dans le but de réduire le risque de carie dentaire, de surpoids, d'obésité et autres. Il m'apparaît donc nécessaire, comme maman et comme médecin, que l'on s'intéresse comme familles, mais aussi comme société, à la quantité de sucres et de glucides raffinés que les enfants consomment. Voici un petit guide pour manger céto en famille. »

— Èvelyne Bourdua-Roy

Manger céto
EN FAMILLE

Avant toute chose, il convient de définir ce que l'on entend par « manger céto ». Sauf dans des cas où la vraie alimentation cétogène est recommandée d'un point de vue médical, comme chez les enfants épileptiques réfractaires aux médicaments, la très grande majorité des enfants n'ont nullement besoin d'adopter une alimentation faible en glucides stricte ou cétogène, c'est-à-dire contenant 20 grammes et moins de glucides nets par jour. Cependant, dans le langage populaire, on appelle « manger céto » le fait de réduire les apports en sucres et en glucides simples dans l'alimentation. Il serait plus juste de dire « manger plus faible en glucides en famille », mais c'est plus long et, comme dans bien des langues, le français aime les raccourcis.

L'alimentation faible en glucides est une alimentation qui privilégie les aliments entiers non transformés, la réduction de la quantité totale de glucides consommés par rapport aux normes actuelles (meilleure qualité, plus faible quantité) et l'élimination, dans la mesure du possible, des huiles riches en oméga-6, principalement en raison de leurs propriétés inflammatoires.

On met donc de côté la liqueur et les jus, les gâteaux, les pâtes, le pain commercial et les sucreries au profit de protéines de bonne qualité, de gras sains, de noix, de produits laitiers entiers, de petits fruits et de légumes.

QUE SONT LES ALIMENTS ENTIERS OU NON TRANSFORMÉS ?

Ce sont des aliments et non des produits, des aliments qui ont subi le moins de transformation possible, qui ne contiennent pas de noms de produits chimiques difficiles à prononcer, et qui ne sont pas emballés et capables de rester sur les tablettes dans une boîte pendant plusieurs mois. Ce sont des aliments qui n'ont pas besoin d'être artificiellement fortifiés, qui sont non raffinés et qui sont riches en nutriments. Ce sont des aliments proches de la nature.

Pourquoi manger moins de sucre ?

L'Organisation mondiale de la Santé recommande de réduire les apports en sucres autant chez les adultes que chez les enfants. Cela vient du fait que les apports en sucres et en aliments transformés et ultratransformés sont associés à l'obésité autant chez les adultes que chez les enfants, dont l'incidence est en constante croissance. Ils sont également associés au développement de maladies chroniques, comme le diabète de type 2 et l'hypertension artérielle.

Il est préférable de prévenir dans l'enfance plutôt que de traiter à l'âge adulte.

Combien de grammes de glucides faut-il viser chez les enfants ?

Chez les enfants en santé, actifs et avec un poids santé, il n'est habituellement pas nécessaire de compter les grammes de glucides. Il vaut mieux viser une alimentation entière, variée, non transformée et riche en nutriments. Par défaut, une telle alimentation sera relativement plus faible en glucides que l'alimentation standard.

Chez les enfants qui ont déjà des problèmes de santé liés à l'alimentation, comme de l'obésité ou un diabète de type 2, il pourrait être souhaitable de réduire la quantité totale de glucides consommés par jour et de les remplacer par des aliments naturels, entiers et non transformés.

Devrait-on vider le garde-manger et le réfrigérateur de tout aliment riche en glucides ?

Dans les familles où il n'y a pas de jeunes enfants et où un ou plusieurs adultes ont des problèmes de santé liés à l'alimentation, il est souvent préférable de faire le grand ménage dans la cuisine et de jeter ou de donner tout ce qui ne convient pas à une alimentation faible en glucides.

Cependant, pour les familles avec de jeunes enfants, il peut être préférable d'y aller progressivement. Vous pouvez choisir de terminer la boîte de céréales et de ne plus en racheter par la suite. Après quelques semaines, votre garde-manger se sera sans doute vidé de ce qui ne convient plus. N'en rachetez plus.

Il est fortement conseillé de ne pas garder à la maison des aliments riches en glucides et peu nutritifs que vous aimez manger, comme des croustilles ou des biscuits Oreo. Si vous en avez à la maison, vous finirez par avoir envie d'en manger ou vos enfants finiront par en obtenir de vous.

Comment s'y prendre pour débuter ?

Améliorer l'alimentation de toute la famille en réduisant les apports en sucres et en aliments transformés peut vous sembler une tâche herculéenne. Allez-y progressivement, étape par étape, plutôt que de tout changer en une seule journée.

1re étape : éliminez les liqueurs, les jus, les laits sucrés et les boissons énergisantes. Toutes ces boissons sont remplies de sucre, apportent peu de nutriments mais beaucoup de calories, et ne procurent pas de satiété. Si vos enfants sont très accros aux jus, commencez par les diluer graduellement avec de l'eau.

2e étape : réduisez ou éliminez les sucreries, bonbons, chocolats, gâteaux, pâtisseries, viennoiseries, muffins et biscuits commerciaux. Évitez tout ce qui contient de la farine blanche et des mauvais gras. Faites vous-même vos gâteaux et muffins en remplaçant la farine de blé par de la farine d'amande ou de noix de coco. Offrez du chocolat noir 70 % faible en sucre, comme du Lindt, et essayez d'augmenter peu à peu le pourcentage de cacao (tout en réduisant le nombre de grammes de glucides par portion).

3e étape : éliminez les déjeuners sucrés commerciaux, comme les céréales et les gaufres. Il s'agit d'aliments ultra-transformés très riches en sucre qui produisent une satiété de courte durée seulement. Remplacez-les par exemple par du pain aux courgettes (voir le tome 1 de *Perdre du poids en mangeant du gras* à la page 90), des œufs, des smoothies faibles en glucides ou des muffins faits avec de la farine de coco, ou concoctez vos propres céréales faibles en sucre.

4e étape : optez pour des collations santé pour les enfants. Délaissez les barres tendres commerciales, les biscuits ensachés, les yogourts aux fruits et les salades de fruits dans le sirop et offrez à vos enfants des noix, du fromage, des crudités, des barres tendres faites maison, des biscuits faibles en glucides ou un yogourt nature parfumé avec un peu d'extrait de vanille. Pour les adultes, il vaut mieux éviter les collations et s'en tenir à deux ou trois repas par jour.

5e étape : repensez la composition de vos repas. Un repas standard contient habituellement de la viande ou du poisson, des légumes et des grains/céréales. Remplacez les grains et les céréales par des gras sains, comme de l'huile d'olive, quelques morceaux de fromage double crème ou de l'avocat. Augmentez vos apports en légumes verts au besoin pour remplir les assiettes, et assurez-vous d'avoir des protéines en quantités adéquates.

204

Assiette standard

Assiette faible en glucides

Évitez de préparer des repas où les glucides sont difficiles à séparer du reste, comme de la lasagne, sauf si vous en faites une version faible en glucides, par exemple en remplaçant les pâtes par de fines tranches de courgettes ou d'aubergines. Voici quelques substitutions faciles.

ALIMENTS À ÉVITER	ALIMENTS DE REMPLACEMENT
Pâtes	Courge spaghetti, spirales de courgette ou nouilles de konjac
Pains à hamburger	Feuilles de laitue iceberg, petits pains céto
Tortillas pour tacos	«Tacos» dans un bol à manger à la cuillère
Riz	Riz de chou-fleur ou de konjac
Craquelins pour tartare	Morceaux de feuilles d'algue nori (algue utilisée pour les sushis)
Tranches de pain baguette pour les fromages à pâte molle, les rillettes et les pâtés de foie	Bâtonnets ou tranches de légumes, comme du céleri
Jus de fruits ou liqueurs	Eau avec saveurs naturelles (quelques fraises congelées dans un grand pichet d'eau, feuilles de menthe fraîche avec jus de lime, etc.)
Wraps de blé entier ou de maïs pour les sandwichs	Wraps de viande froide
Croûte de quiche	Quiche sans croûte

Photos jus, avocats, assiettes, pichet d'eau et framboises : Shutterstock

Si vos enfants n'aiment pas les nouveaux aliments et repas faibles en glucides que vous leur offrez, ne vous découragez pas. Faites un changement à la fois et donnez-vous du temps. Même s'il vous faut de six à douze mois pour faire le virage, l'important est de cheminer dans la bonne direction et de faire de tout changement positif une nouvelle habitude.

Demandez à vos enfants de goûter à ce que vous leur présentez et continuez à leur offrir des aliments sains et nutritifs à chaque occasion. Il faudra sans doute un certain temps à leurs papilles gustatives pour cesser de rechercher les saveurs savamment concoctées par les laboratoires de l'industrie alimentaire et pour apprécier celles des vrais aliments non transformés.

Invitez vos enfants à cuisiner avec vous. Ils seront sans doute fiers de mettre la main à la pâte et, de ce fait, pourraient être davantage enclins à goûter par la suite. S'ils savent lire, demandez-leur de trouver sur Internet des recettes faibles en glucides qui les intéressent et qu'ils aimeraient essayer.

Pour les fêtes d'enfants et les occasions spéciales, essayez d'offrir le plus possible des options santé faibles en glucides ainsi que quelques aliments plus standards qui font vraiment plaisir à vos enfants. D'une fête à l'autre, réduisez la quantité d'aliments moins sains.

La clé du succès du céto en famille est sans doute le travail d'équipe et la persévérance. Gardez en tête le fait qu'il s'agit d'un investissement à court, moyen et long terme pour la santé de tous les membres de votre famille. Avec le temps, votre nouvelle alimentation sera devenue votre nouvelle « normale » et vous aurez trouvé des recettes et des astuces pour combler toute la famille.

> On vous propose aux pages suivantes un gâteau de fête et des jujubes faibles en glucides qui sont délicieux et dont les enfants raffoleront !

Pourquoi réduire les apports en sucres et glucides raffinés chez les enfants ?

Le taux d'obésité chez nos enfants a triplé depuis les années 1980, selon l'Institut national d'excellence en santé et services sociaux (l'INESSS), se situant maintenant autour de 9 % ; le taux combiné d'embonpoint et d'obésité se situe à 25 %. Un enfant sur quatre a maintenant un problème de poids au Québec !

Ce surpoids ou obésité est plus fréquemment abdominal, ce qui peut indiquer une résistance à l'insuline et un syndrome métabolique en installation, et ce qui augmente les risques de développer un foie gras.

Une étude américaine menée de 1993 à 2003 a démontré que 17,3 % des enfants de 15 à 19 ans avaient le foie gras. Parmi ceux qui étaient obèses, ce pourcentage était plutôt de 38 %. Ces données sous-estiment très probablement la réalité d'aujourd'hui.

Aux États-Unis, l'âge d'admissibilité à la chirurgie bariatrique est de 12 ans, mais pourrait passer à 10 ans dans les prochaines lignes directrices. Au Québec, il est rare que l'on opère des enfants avant l'âge de 18 ans, mais cela pourrait changer dans le futur.

Les jeunes souffrant d'obésité rapportent une qualité de vie cinq fois plus faible que celle des jeunes en bonne santé, et semblable à celle des jeunes souffrant de cancer.

Une étude américaine de 2010 a montré que l'état des vaisseaux sanguins de 75 % des jeunes obèses âgés de 6 à 19 ans était semblable à celui d'adultes de 45 ans.

L'embonpoint et l'obésité infantiles sont associés à la résistance à l'insuline, au syndrome métabolique, au diabète de type 2, à l'hypertension artérielle, à l'athérosclérose, à l'hypertrophie ventriculaire gauche, à l'apnée du sommeil (jusqu'à 59 % des enfants obèses en présenteraient), à l'asthme, à la stéatose hépatique, à une faible estime de soi et à de faibles compétences dans les activités sociales et sportives, à plus de symptômes de dépression et d'anxiété que les jeunes de poids normal, et à une morbidité et un taux de mortalité accrus à l'âge adulte, selon l'INESSS.

La majorité des enfants obèses demeureront obèses à l'âge adulte. Il importe donc d'agir maintenant.

> Définition de l'embonpoint et de l'obésité infantiles chez les 5 à 19 ans : IMC entre les 85e et 97e percentiles et IMC supérieur au 97e percentile, respectivement, sur les courbes de l'OMS.

Jujubes

15 min   **2 heures**
par moule   **1 350 jujubes**

15 ml (1 c. à soupe)
de saveur naturelle
de banane

15 gouttes de colorant
alimentaire jaune

3 ml (environ ½ c. à thé)
de saveur naturelle
de fraises

15 gouttes de colorant
alimentaire rouge

3 ml (environ ½ c. à
thé) de saveur naturelle
de bleuets

15 gouttes de colorant
alimentaire bleu

9 sachets de gélatine
sans saveur de 7 g chacun

45 ml (3 c. à soupe)
de jus de citron

180 ml (¾ de tasse)
d'érythritol

1. Dans un bol allant au micro-ondes, mélanger 250 ml
(1 tasse) d'eau chaude avec la saveur naturelle de banane et le colorant alimentaire jaune. Dans un autre bol,
mélanger 250 ml (1 tasse) d'eau chaude avec la saveur
naturelle de fraises et le colorant alimentaire rouge.
Dans un troisième bol, mélanger 250 ml (1 tasse) d'eau
chaude avec la saveur naturelle de bleuets et le colorant alimentaire bleu.

2. Prélever le tiers de chacune des préparations
et le verser dans trois autres bols. Incorporer le tiers
de la gélatine dans chacun des bols et laisser gonfler
5 minutes.

3. Dans une casserole, verser le mélange à la
banane restant. Incorporer le tiers du jus de citron
et de l'érythritol. Chauffer jusqu'aux premiers
frémissements.

4. Chauffer le mélange de gélatine à la banane
30 secondes au micro-ondes.

5. Verser la gélatine dans la casserole en fouettant.
Chauffer jusqu'aux premiers frémissements. Retirer
du feu et transvider dans un bol.

6. Répéter les étapes 3 à 5 pour les mélanges
aux fraises et aux bleuets.

7. Remplir des mini-moules en silicone
en forme d'ourson avec les trois préparations en utilisant un compte-goutte au
besoin. Laisser tiédir, puis réfrigérer
de 2 à 3 heures. Démouler et répéter
avec le reste des préparations.

RECETTE COMPLÈTE

Protéines	54,1 g
Lipides	0,18 g
Glucides	147,2 g
Sucres alcool	144 g
Fibres	0 g
Glucides nets	**3,2 g**

Pour faire moins
de jujubes, faites
seulement le tiers de la
recette et faites moins
de saveurs !

Gâteau au chocolat avec glaçage au fromage à la crème

20 min   **40 min**   **10 portions**

250 ml (1 tasse) de poudre d'amandes

45 ml (3 c. à soupe) de farine
de noix de coco

80 ml (⅓ de tasse) de cacao

3,75 ml (¾ de c. à thé)
de bicarbonate de soude

7,5 ml (½ c. à soupe)
de poudre à pâte

1 pincée de sel

6 gros œufs

80 ml (⅓ de tasse) d'édulcorant
(de type Swerve)

180 ml (¾ de tasse) de crème sure
ou de yogourt entier

90 ml (6 c. à soupe) de beurre
fondu ou d'huile de noix de coco

15 ml (1 c. à soupe)
d'extrait de vanille

**Pour le glaçage au chocolat
et au fromage à la crème :**

180 ml (¾ de tasse)
de crème à cuisson 35 %

22,5 ml (1 ½ c. à soupe) de cacao

5 ml (1 c. à thé) d'extrait de vanille

100 g (3 ½ oz) de chocolat noir 85 %
ou 90 % haché grossièrement

1 ½ paquet de fromage à la crème
de 250 g, ramolli

80 ml (⅓ de tasse) d'édulcorant
granulé (de type Swerve)

1. Préchauffer le four à 180 °C (350 °F).

2. Dans un bol, mélanger la poudre d'amandes avec
la farine de noix de coco, le cacao, le bicarbonate
de soude, la poudre à pâte et le sel.

3. Dans un autre bol, fouetter les œufs avec l'édulcorant, la crème sure, le beurre et la vanille.

4. Incorporer graduellement les ingrédients secs aux
ingrédients humides et remuer jusqu'à l'obtention
d'une préparation homogène.

5. Beurrer un moule à charnière de 20 cm (8 po),
puis y verser la préparation. Cuire au four de 40 à
45 minutes. Retirer du four et laisser tiédir.

6. Dans une casserole, mélanger la crème avec
le cacao. Porter à ébullition.

7. Incorporer la vanille dans la casserole, puis retirer
du feu. Ajouter le chocolat et remuer jusqu'à l'obtention
d'une texture lisse.

8. À l'aide du batteur électrique, fouetter le fromage
à la crème avec l'édulcorant dans un bol. Incorporer
la préparation au chocolat en fouettant.

9. Glacer le gâteau à l'aide d'une spatule
ou d'une poche à pâtisserie.

PAR PORTION

Protéines	12 g
Lipides	43 g
Glucides	15 g
Fibres	5 g
Glucides nets	**10 g**

Gâteau inspiré de la recette de Katherine Kasha. Glaçage inspiré de la recette de Asmaa Hussain.

Des lunchs santé moins sucrés

Pour offrir à vos enfants des lunchs santé, la clé du succès est la planification. Suivez notre méthode pour bien planifier et exécuter la préparation de vos lunchs.

Étape 1 : le repas principal

Décidez d'abord de la protéine qui constituera la base du lunch. Dans la mesure du possible, utilisez les protéines provenant des restants de la veille. Si vous êtes pris au dépourvu, tournez-vous vers vos aliments dépanneurs du garde-manger ou du congélateur, comme une conserve de thon à mélanger avec de la mayonnaise, ou faites cuire des œufs à la coque. À la source de protéine que vous aurez choisie, ajoutez des légumes crus ou cuits, à manger chauds ou froids. Essayez de varier la façon dont vous les coupez pour inciter vos enfants à les manger.

Étape 2 : les accompagnements

Selon la protéine principale et les légumes que vous aurez choisis, vous pourriez vouloir ajouter une sauce, une trempette ou un fromage que vos enfants vont apprécier. Une délicieuse trempette incite souvent la plupart des gens à manger plus de légumes, et cela est encore plus vrai chez les enfants. Par exemple, accompagnez des bâtonnets de concombre d'une trempette à base de mayonnaise maison, de yogourt nature, de ketchup faible en sucre ou d'un soupçon de sriracha, ou servez des rondelles de carottes avec de la purée d'avocat mélangée avec du fromage à la crème et un peu de jus de lime. Si la source de protéine est plutôt maigre, comme une poitrine de poulet en lanières, ajoutez des gras sains, tels que des tranches d'avocat, des noix, un morceau de brie, une *fat bomb* (voir tome 1 à la page 172) ou de l'huile d'olive versée directement sur la protéine. Ajoutez aussi des à-côtés, comme des tomates cerises et des cubes de fromage piqués sur un cure-dents, une ou deux fraises trempées dans du chocolat Lindt 85 % ou un mini-gâteau au fromage (voir tome 1 à la page 178).

Étape 3 : les collations

Préparez des fruits, un yogourt nature parfumé à l'extrait de vanille naturel, des copeaux de noix de coco non sucrée, un muffin maison, des noix, des barres tendres maison, du pouding de chia à base de crème de coco, des bâtonnets de fromage, des céleris remplis de creton, des croustilles de parmesan ou autre fromage fondu au four, du *jerky* de viande ou de saumon, etc.

PLANIFICATION DE LA SEMAINE

- Décidez quelles seront les protéines qui composeront les lunchs des cinq jours de la semaine.

- Faites votre épicerie en conséquence et prévoyez au moins une protéine dépanneur, comme un petit poulet rôti ou du rosbif à trancher.

- Préparez des muffins, des barres tendres, du granola et des *fat bombs* céto, et mettez-les au congélateur.

- Coupez et préparez des légumes crus et cuits.

- Faites une mayonnaise de base et deux ou trois trempettes.

- Faites cuire quelques œufs à la coque, écalez-les et placez-les dans un contenant hermétique au réfrigérateur.

Aliments dépanneurs

Nous vous suggérons d'avoir toujours sous la main certains aliments pour vous dépanner les jours où vous devrez préparer des lunchs en quelques minutes sans pouvoir compter sur les restants de la veille.

Garde-manger : conserves de saumon, de thon et de jambon, noix (Grenoble, Brésil, macadamia, pili, pacanes, noisettes, amandes), graines (citrouille, tournesol, chanvre, lin), copeaux de noix de coco non sucrée, croustilles de parmesan, couenne de porc soufflée, chocolat noir 85 % ou plus faible en sucre, poivrons rôtis et cœurs d'artichauts dans l'huile, algues de nori, olives en pot de verre ou en conserve, mélange de granola fait maison, cornichons, extrait de vanille non sucré, salsa sans sucre ajouté, etc.

Congélateur : muffins céto maison, petits fruits comme des framboises, fromages à faible taux d'humidité (attention : ceux à pâte molle deviennent granuleux en décongelant), légumes, cubes de yogourt, céréales granola et barres tendres faites maison, lanières de viande cuites, morceaux d'avocat, *fat bombs*, saumon fumé, boulettes suédoises déjà cuites, etc.

Réfrigérateur, à chaque semaine : olives dans l'huile, fromage en cubes et en tranches, viandes froides, œufs à la coque, confiture de fruits et chia, mayonnaise maison, crudités, tranches de salami, poulet rôti et lanières de viande cuites, feuilles de laitue, yogourt nature, fruits, fromage à la crème, etc.

Photo avocat : Shutterstock.

Comparaison d'une boîte à lunch standard avec une boîte à lunch faible en glucides

Boîte à lunch standard	Boîte à lunch faible en glucides
<ul><li>1 tasse de jus de pomme</li><li>1 banane</li><li>1 petit yogourt aux fruits</li><li>1 sachet de pattes d'ours</li><li>1 sandwich jambon et laitue avec baguette blanche d'environ 9 pouces</li></ul>	<ul><li>1 bouteille d'eau avec quelques feuilles de menthe dedans</li><li>2 brochettes de tomates cerises avec cubes de fromage</li><li>6 amandes</li><li>1 yogourt nature avec 6 framboises dessus et quelques copeaux de noix de coco non sucrée</li><li>Des rouleaux de sandwich faits avec du jambon roulé autour de tranches de fromage emmental, avec de fines juliennes de concombre au centre et de la mayonnaise</li></ul>
Voici un lunch standard. Il contient un total approximatif de 173 grammes de glucides, soit 43,25 sachets de sucre blanc de table.	Voici, en contraste, un lunch plus faible en glucides et plus nutritif. Il contient un total approximatif de 9,61 grammes de glucides, soit 2,4 sachets de sucre blanc de table.

Découvrez nos idées de boîtes à lunch faibles en glucides aux pages qui suivent ! ❯

BOÎTE À LUNCH
avec rouleaux de dinde

- Rouleaux de dinde et fromage suisse

- Crudités

- Mayonnaise maison

- Mini-muffin

Trouvez la recette de mini-muffins à la page 216 !

Rouleaux de dinde et fromage suisse

10 min **4 portions**

4 tranches
de fromage suisse

4 tranches
de dinde fumée

4 grandes feuilles
de laitue Boston

1. Garnir chaque tranche de fromage d'une tranche de dinde et d'une feuille de laitue. Rouler en serrant. Fixer avec des cure-dents.

POUR ACCOMPAGNER
Mayonnaise maison

Par portion (30 ml – 2 c. à soupe) : protéines 1 g, lipides 18 g, glucides 0 g, fibres 0 g, **glucides nets 0 g**

Dans un petit pot Mason, déposer 250 ml (1 tasse) d'huile d'olive, d'avocat ou de cameline, 1 œuf, 30 ml (2 c. à soupe) de jus de citron frais, 5 ml (1 c. à thé) de sel et de 2,5 à 5 ml (½ à 1 c. à thé) de moutarde en poudre ou de moutarde de Dijon. À l'aide du mélangeur-plongeur, mélanger la préparation jusqu'à l'obtention de la consistance désirée. Si la préparation est trop liquide, ajouter une très petite pincée de gomme de xanthane ou un peu de graines de chia fraîchement moulues. Cette mayonnaise se conserve au moins 1 semaine au réfrigérateur.

PAR PORTION
1 rouleau

Protéines	13 g
Lipides	6 g
Glucides	0 g
Fibres	0 g
Glucides nets	**0 g**

Mini-muffins

15 min   **15 min**   **12 mini-muffins**

Pour la base :

60 ml (¼ de tasse) de
farine de noix de coco

2,5 ml (½ c. à thé)
de poudre à pâte

20 ml (4 c. à thé) de stévia

1 pincée de sel

3 œufs

45 ml (3 c. à soupe)
de beurre fondu

30 ml (2 c. à soupe)
de lait de coco

2,5 ml (½ c. à thé)
d'extrait de vanille

**Pour les mini-muffins
à la vanille :**

7,5 ml (½ c. à soupe)
d'extrait de vanille

**Pour les mini-muffins
aux framboises :**

80 ml (⅓ de tasse)
de framboises coupées
en deux

**Pour les mini-muffins
au chocolat :**

80 ml (⅓ de tasse) de pé-
pites de chocolat noir
ou sucrées à la stévia

1. Préchauffer le four à 190 °C (375 °F).

2. Dans un bol, mélanger la farine de noix de coco
avec la poudre à pâte, la stévia et le sel.

3. Dans un autre bol, fouetter les œufs avec
le beurre, le lait de coco et la vanille. Incorporer
le mélange d'ingrédients secs et remuer jusqu'à l'obtention d'une préparation homogène.

4. Répartir la pâte dans trois bols. Dans le premier,
incorporer la vanille. Dans le deuxième, ajouter les
framboises et remuer. Dans le troisième, incorporer
les pépites de chocolat.

5. Beurrer les douze alvéoles d'un moule à mini-muffins,
puis y répartir chacune des préparations.

6. Cuire au four de 15 à 18 minutes. Retirer du four
et laisser tiédir avant de démouler.

La recette de base de ces muffins est très polyvalente !
Vous pourriez aussi les faire aux bleuets en ajoutant
10 ml (2 c. à thé) d'extrait de vanille et 125 ml (½ tasse)
de bleuets surgelés à la pâte ou à l'érable en y ajoutant
10 ml (2 c. à thé) d'essence d'érable. Pour une version au
citron, ajoutez 30 ml (2 c. à soupe) de zestes de citron à
la pâte, puis pressez ½ citron dans un verre, incorporez-y
un peu d'édulcorant Swerve et faites couler un petit filet
de ce mélange sur les muffins encore chauds.

PAR PORTION
1 mini-muffin
à la vanille

Protéines	2 g
Lipides	5 g
Glucides	1 g
Fibres	1 g
Glucides nets	**0 g**

PAR PORTION
1 mini-muffin
aux framboises

Protéines	2 g
Lipides	5 g
Glucides	2 g
Fibres	1 g
Glucides nets	**1 g**

PAR PORTION
1 mini-muffin
au chocolat

Protéines	3 g
Lipides	8 g
Glucides	4 g
Fibres	2 g
Glucides nets	**2 g**

BOÎTE À LUNCH
avec croquettes de poulet

- Croquettes de poulet
- Ketchup maison
- Crudités
- Croustilles de parmesan au chili
- Yogourt nature 10% et quelques bleuets

20 min

12 min

6 portions

Croquettes de poulet

1 œuf

60 ml (¼ de tasse) d'huile d'avocat ou de saindoux

850 g (environ 1 ¾ lb) de poitrines de poulet sans peau

125 ml (½ tasse) de farine de noix de coco

2,5 ml (½ c. à thé) de sel

2,5 ml (½ c. à thé) de poudre d'ail

5 ml (1 c. à thé) de poudre d'oignons

125 ml (½ tasse) de parmesan râpé

1. Préchauffer le four à 180°C (350°F).

2. Préparer deux assiettes creuses. Dans la première, fouetter l'œuf avec l'huile à l'aide d'une fourchette. Dans la seconde, mélanger la farine de noix de coco avec le sel, la poudre d'ail, la poudre d'oignons et le parmesan.

3. Couper les poitrines de poulet en morceaux de la taille d'une croquette. Tremper les morceaux de poulet dans le mélange aux œufs, puis les enrober de chapelure.

4. Sur une plaque de cuisson tapissée de papier parchemin, déposer les morceaux de poulet.

5. Cuire au four de 12 à 15 minutes, en retournant les croquettes à mi-cuisson, jusqu'à ce que l'intérieur de la chair du poulet ait perdu sa teinte rosée.

PAR PORTION
5 croquettes

Protéines	52 g
Lipides	15 g
Glucides	6 g
Fibres	3 g
Glucides nets	**3 g**

POUR ACCOMPAGNER
Ketchup maison

Par portion (30 ml – 2 c. à soupe) : protéines 1 g, lipides 1 g, glucides 4 g, fibres 1 g, **glucides nets 3 g**

Épépiner environ 10 tomates italiennes. Déposer les tomates dans le contenant du mélangeur électrique et émulsionner 1 minute. Dans une casserole, chauffer 15 ml (1 c. à soupe) d'huile d'olive à feu moyen. Cuire 1 petit oignon haché et 2 gousses d'ail hachées de 1 à 2 minutes. Ajouter les tomates broyées, 60 ml (¼ de tasse) de vinaigre de cidre, 15 ml (1 c. à soupe) de moutarde en poudre, de 3 à 6 gouttes de stévia et 30 ml (2 c. à soupe) d'érythritol. Saler, poivrer et remuer. Cuire de 18 à 20 minutes à feu doux-moyen. Transférer la préparation dans le contenant du mélangeur et mélanger jusqu'à l'obtention d'une préparation lisse. Remettre la préparation dans la casserole. Laisser mijoter jusqu'à l'obtention de la consistance désirée. Retirer du feu et laisser tiédir. Réserver au frais.

POUR ACCOMPAGNER
Croustilles de parmesan au chili

Par portion : protéines 3 g, lipides 3 g, glucides 1 g, fibres 0 g, **glucides nets 1 g**

Dans un bol, mélanger 250 ml (1 tasse) de parmesan râpé avec 2,5 ml (½ c. à thé) de poudre de chili. Sur une plaque de cuisson tapissée de papier parchemin, former douze cercles de parmesan de 6 cm (environ 2 ¼ po). Cuire au four de 5 à 6 minutes à 180 °C (350 °F), jusqu'à ce que le pourtour des cercles commence à dorer. Retirer du four et laisser tiédir de 1 à 2 minutes sur la plaque.

BOÎTE À LUNCH
avec mini-tacos

- Mini-tacos
- Salsa du commerce faible en glucides
- Brochettes de tomates cerises et fromage
- Barre aux graines et à la noix de coco

20 min

32 min

12 mini-tacos

Mini-tacos

80 ml (⅓ de tasse)
de cheddar râpé

Pour les coupelles :

500 ml (2 tasses)
de mozzarella râpée

60 ml (¼ de tasse)
de farine de noix de coco

30 ml (2 c. à soupe)
de fromage à la crème

1 œuf

Sel au goût

1 pincée de cumin

Pour la préparation au bœuf :

15 ml (1 c. à soupe)
d'huile d'olive

1 oignon émincé

450 g (1 lb)
de bœuf haché mi-maigre

1 boîte de tomates en dés
de 540 ml, égouttées

15 ml (1 c. à soupe)
de poudre de chili

5 ml (1 c. à thé) de paprika

15 ml (1 c. à soupe)
de pâte de tomates

1. Préchauffer le four à 220 °C (425 °F).

2. Dans une poêle, chauffer l'huile à feu moyen. Cuire l'oignon quelques minutes, jusqu'à ce qu'il soit translucide.

3. Ajouter le bœuf haché et cuire de 5 à 7 minutes en égrainant la viande à l'aide d'une cuillère en bois, jusqu'à ce qu'elle ait perdu sa teinte rosée.

4. Ajouter les tomates, les épices et la pâte de tomates. Remuer. Porter à ébullition, puis laisser mijoter de 12 à 18 minutes à feu doux.

5. Dans un bol allant au micro-ondes, mélanger la mozzarella avec la farine de noix de coco. Incorporer le fromage à la crème. Cuire au micro-ondes 1 minute à puissance élevée.

6. Remuer, puis poursuivre la cuisson au micro-ondes à puissance maximale 30 secondes, jusqu'à ce que le fromage soit fondu. Remuer à nouveau. Incorporer l'œuf, le sel et le cumin.

7. Déposer la pâte entre deux feuilles de papier parchemin. À l'aide d'un rouleau à pâtisserie, abaisser la pâte en un rectangle mince. Retirer le papier parchemin du dessus.

8. À l'aide d'un emporte-pièce ou d'un verre, tailler douze cercles dans la pâte.

9. Déposer un moule à muffins à l'envers sur la surface de travail, puis huiler les alvéoles. Déposer les cercles de pâte sur les douze alvéoles du moule.

10. Cuire au four de 12 à 15 minutes, jusqu'à ce que la pâte soit dorée. Retirer du four.

11. Démouler les coupelles et les retourner. Déposer sur une plaque de cuisson tapissée de papier parchemin. Cuire au four 2 minutes, jusqu'à ce que l'intérieur des coupelles soit légèrement doré.

12. Répartir la préparation à la viande dans les coupelles. Garnir de cheddar.

PAR PORTION
1 mini-taco

Protéines	14 g
Lipides	13 g
Glucides	6 g
Fibres	1 g
Glucides nets	**5 g**

10 min

15 min

16 barres

Barres aux graines et à la noix de coco

250 ml (1 tasse)
de graines de sésame

250 ml (1 tasse)
de graines de tournesol

80 ml (⅓ de tasse)
de graines de chia

125 ml (½ tasse)
de graines de lin moulues

3 œufs

125 ml (½ tasse) de noix
de coco non sucrée râpée

80 ml (⅓ de tasse) d'édulcorant
granulé (de type Swerve)

60 ml (¼ de tasse)
d'huile de noix de coco

30 ml (2 c. à soupe) de cacao

15 ml (1 c. à soupe)
d'extrait de vanille

5 ml (1 c. à thé) de cannelle

1. Préchauffer le four à 180 °C (350 °F).

2. Dans le contenant du robot culinaire, déposer les graines de sésame, les graines de tournesol, les graines de chia, les graines de lin moulues et les œufs. Mélanger jusqu'à ce que les graines soient grossièrement hachées et incorporées aux œufs.

3. Déposer le reste des ingrédients dans le contenant du robot culinaire et mélanger jusqu'à ce que tout soit bien mélangé.

4. Tapisser un plat de cuisson carré de 20 cm (8 po) de papier parchemin, puis y verser le mélange. Égaliser la surface en pressant.

5. Cuire au four de 15 à 20 minutes, jusqu'à ce que la préparation soit légèrement croustillante.

6. Retirer du four et laisser tiédir. Couper en 16 barres.

PAR PORTION
1 barre

Protéines	8 g
Lipides	24 g
Glucides	6 g
Fibres	4 g
Glucides nets	**2 g**

BOÎTE À LUNCH
avec pizza

- Pizza sans noix
- Rouleaux de jambon
- Crudités
- Copeaux de noix de coco non sucrée
- Fraises trempées dans le chocolat noir 85 %

Pizza sans noix

| 20 min | 20 min | 12 min | 4 portions |

Pour la pâte à pizza :

60 ml (¼ de tasse) de fromage à la crème

500 ml (2 tasses) de mozzarella râpée

2 œufs battus

180 ml (¾ de tasse) de farine de noix de coco

1 pincée de sel

Pour la garniture :

60 ml (¼ de tasse) de pâte de tomates

40 g (environ 1 ½ oz) de pepperoni tranché

375 ml (1 ½ tasse) de mozzarella râpée

½ contenant de champignons de 227 g, tranchés

1. Dans un bol allant au micro-ondes, mélanger le fromage à la crème avec la mozzarella. Chauffer 1 minute au micro-ondes. Remuer, puis chauffer de nouveau 20 secondes au micro-ondes.

2. Dans un autre bol, mélanger les œufs battus avec la farine de noix de coco et le sel.

3. Ajouter la préparation aux œufs à la préparation au fromage et pétrir jusqu'à l'obtention d'une pâte. Laisser reposer de 20 à 30 minutes au frais.

4. Au moment de la cuisson, préchauffer le four à 205 °C (400 °F).

5. Dans une poêle allant au four, déposer la pâte et la presser au fond et sur les parois de la poêle de manière à former une croûte.

6. À l'aide d'une fourchette, faire de petits trous dans la pâte pour éviter la formation de bulles d'air. Cuire au four 10 minutes. Retirer du four.

7. Garnir la pâte de pâte de tomates, de pepperoni, de fromage et de champignons.

8. Régler le four à la position « gril » (*broil*) et poursuivre la cuisson de 2 à 3 minutes, jusqu'à ce que le fromage soit doré.

PAR PORTION
¼ de pizza

Protéines	12 g
Lipides	17 g
Glucides	16 g
Fibres	8 g
Glucides nets	**8 g**

Témoignages INSPIRANTS

Tout au long de mon parcours, j'ai eu la chance de rencontrer des gens vraiment inspirants. Des gens qui ont décidé de changer le cours de leur vie! Des gens comme vous et moi, qui en avaient assez de traîner un poids excessif ou des problèmes de santé. Ils se sont choisis. Ils ont mis leur santé au cœur de leurs priorités. C'est avec beaucoup de fierté qu'Èvelyne et moi vous présentons de beaux témoignages de la part de bien belles personnes. Si elles ont réussi, vous le pouvez aussi! Inspirez-vous d'elles!

— Josey

AVANT

APRÈS

Josey Arsenault

Le yo-yo? Je connais très bien!

Les régimes? Oh que oui!

Alors, quand j'ai commencé l'alimentation cétogène au mois de mai 2017, je me suis dit que c'était la dernière fois que j'essayais de perdre du poids avec une méthode.

Au plus lourd de ma vie, je me suis rendue à 235 livres, et grâce à l'alimentation cétogène, j'en suis à 168 livres, soit 67 livres de perdues!

Oui, il m'en reste encore à perdre, mais le chemin parcouru me rend très fière! Tout comme l'incroyable énergie que je ressens maintenant au quotidien.

Avec le recul, le fait d'avoir trouvé des gens qui s'alimentaient comme moi a grandement contribué à ma motivation. Mention à Isabelle Duclos, qui m'a guidée depuis le tout début!

AVERTISSEMENT

Les témoignages qui suivent se veulent une source d'inspiration et d'espoir pour les lecteurs et ne constituent en aucun cas une garantie de résultat. Les résultats vont varier d'une personne à l'autre et l'alimentation faible en glucides ou cétogène peut ne pas convenir à tous.

D^{re} Èvelyne Bourdua-Roy

J'ai commencé à m'intéresser à l'alimentation faible en glu-cides et cétogène ainsi qu'au jeûne intermittent pendant mon congé de maternité avec mon deuxième enfant. Ce sont des collègues médecins qui m'en ont d'abord parlé et qui m'ont suggéré de lire *Code obésité* de Dr Jason Fung. Ce livre s'est avéré une révélation. À ce moment-là, par contre, je n'avais aucune idée de l'ampleur des changements qui allaient venir pour ma propre santé et pour ma pratique professionnelle.

J'ai ensuite lu beaucoup d'articles scientifiques sur le sujet. J'ai trouvé que c'était logique et physiologique, mais j'ai aussi trouvé étonnant le fait de ne jamais en avoir entendu parler auparavant, en particulier pendant ma formation. J'ai décidé de tenter l'expérience sur moi-même et j'ai donc commencé à manger faible en glucides, sans rien changer d'autre dans ma vie. Très rapidement, j'en ai ressenti les bienfaits : l'énergie est apparue de nulle part (je ne dormais pas plus) et mon surplus de poids de grossesse a commencé à fondre (je ne faisais pas plus d'activité physique). Mes rages de sucre sont progressivement disparues, mon humeur s'est stabilisée, et je me sentais mieux globalement.

AVANT

J'ai tout de suite apprécié les nouveaux aliments et les nou-velles saveurs, de même que la satiété que je ressentais à la fin des repas et entre ceux-ci. D'aussi loin que je puisse me souvenir, j'ai toujours été une collationneuse. Même à l'école primaire, dans les années 80, où la seule collation que l'on avait était un berlingot de lait du gouvernement, j'étais la fille qui apportait une pomme dans son sac à dos. Si je ne man-geais pas entre les repas, je devenais irritable et j'avais mal à la tête. Et là, soudainement, ce n'était plus nécessaire. Je pouvais vivre ma vie sans constamment avoir faim et penser à la nourriture.

En effet, l'une des choses qui me fait le plus grand bien est cette liberté face à la nourriture que j'ai découverte. La nourriture ne m'obsède plus, n'envahit plus mes pensées constamment et n'exerce plus la même emprise sur moi. Je mange à satiété à chaque repas et j'adore ce que je mange, je n'ai jamais faim entre les repas, et je suis capable de jeû-ner longtemps sans aucun problème. Cela fait même partie de ma vie normale.

Bien sûr, étant médecin de famille, je me suis dit que je devrais en parler à mes patients et les aider activement et concrètement à améliorer leur alimentation et leurs habi-tudes de vie en général si c'était un traitement qu'ils voulaient essayer. Parce qu'à la base, la santé, à mon humble avis, c'est d'abord et avant tout une bonne alimentation et de bonnes habitudes de vie, incluant l'activité physique, le sommeil, la réduction du stress, les contacts et les rapports sociaux, etc.

APRÈS

Finalement, je suis bien consciente du fait que l'alimentation faible en glucides et, en particulier, cétogène, de même que le jeûne intermittent sont des sujets controversés actuelle-ment et qu'ils ne font pas l'unanimité. Je conçois aussi que cela peut ne pas convenir à tout le monde, même s'il est indéniable, selon moi, que tout le monde devrait réduire ses apports en sucre et en produits raffinés. Je pense sincère-ment que si cette alimentation et mode de vie ne sont pas pour tout le monde, tout le monde mérite de savoir que cela existe, que c'est sécuritaire et efficace et que c'est soutenu par la science.

AVANT

APRÈS

Nathalie Villeneuve

J'étais seulement à trois semaines de me faire opérer pour une chirurgie bariatrique que j'attendais depuis quelques années lorsque j'ai décidé d'annoncer à mon chirurgien que je croyais ne pas avoir tout tenté pour perdre du poids par moi-même. J'ai donc refusé la chirurgie !

Deux ans plus tard, j'entends parler du livre *Perdre du poids en mangeant du gras* de Josey Arsenault et de la D^{re} Èvelyne Bourdua-Roy. Ben voyons ! Qu'est-ce que c'est ça ? Il faut dire que j'ai étudié en technique diététique au cégep… J'achète le livre, plus par curiosité qu'autre chose. J'ai plein de questions en tête vu tout ce que j'ai appris auparavant. Mais j'essaie tout de même !

J'adhère donc à ce nouveau mode d'alimentation et ma santé s'améliore. En 7 mois et demi, j'ai perdu 62 livres, mon hypertension est partie, et mon diabète de type 2 est en très grande régression (presque inexistant). Je ne prends plus de médicaments contre le cholestérol (statines) et mon apnée du sommeil est quasi nulle. Plus de douleurs aux genoux non plus. Bref, que du positif !

Dany Blais

Le 27 mars 2018 a été la journée qui a changé ma vie. Ce jour-là, j'avais un rendez-vous avec ma médecin. Je suis diabétique depuis une quinzaine d'années, je faisais également de l'hypertension et du cholestérol. Je prenais huit pilules chaque jour pour contrôler tout ça.

Comme ma glycémie était trop haute, ma médecin m'a donné un ultimatum pour la baisser. Pour m'aider, elle m'a proposé l'alimentation cétogène. Elle m'a conseillé de lire le livre *Perdre du poids en mangeant du gras* pour commencer. J'ai suivi son conseil, j'ai acheté et lu le livre, je me suis informé sur Internet et lu passablement d'infos.

J'ai donc commencé l'alimentation cétogène stricte (moins de 20 grammes de glucides par jour) le 8 avril. J'ai rapidement perdu une douzaine de livres lors des deux premières semaines. Après seulement 1 mois, j'arrêtais déjà un de mes trois médicaments pour le diabète et j'avais perdu environ 20 livres. Après un autre mois, j'arrêtais un deuxième médicament pour le diabète. Plusieurs petits problèmes sont aussi disparus, dont mes problèmes de respiration et mes douleurs d'arthrose qui ont énormément diminué.

AVANT

APRÈS

Par la suite, en juillet, soit 3 mois et demi après avoir commencé, j'ai arrêté mon dernier médicament pour le diabète et aussi celui pour mon hypertension. Pour ce qui est de mon poids, j'avais environ 50 livres de perdues.

En date du 22 octobre 2018, après 6 mois et demi d'alimentation cétogène, mon problème de cholestérol est aussi réglé. Je ne prends plus aucun médicament et j'ai perdu 60 livres au total.

Pour moi, cette alimentation a été pratiquement miraculeuse ! Je l'ai adoptée pour de bon, je ne retournerais pas en arrière. Sincère remerciement à ma médecin ainsi qu'à Josey Arsenault et à la D^{re} Bourdua-Roy. Elles ont changé ma vie !

Marie-Pier Claveau

Il y a un an presque jour pour jour, j'ai décidé de reprendre le contrôle sur ma vie et mon alimentation. Obèse classe 2 à 32 ans, je devais agir rapidement si je voulais pouvoir continuer de profiter de ma vie de famille pleinement.

J'ai essayé beaucoup de régimes, toujours sans succès. Je devais trouver une façon de m'alimenter qui conviendrait à mon style de vie mouvementé et qui plairait aux enfants. Mon conjoint m'a parlé de l'alimentation cétogène. Je me suis donc intéressée au sujet et j'ai commencé à suivre des blogues, des pages et des sites sur le cétogène en janvier 2018. J'aimais la simplicité des menus, qui ne sont pas si différents d'une alimentation régulière. J'ai eu une perte de poids importante dès le début, soit 22 livres en moins le premier mois.

Encouragée par ces résultats incroyables, j'ai persévéré avec ma nouvelle alimentation. Les mois défilaient, et mon poids descendait toujours de plus en plus. J'ai également dit adieu aux brûlements d'estomac, aux migraines et à la fatigue de l'après-midi.

Il y a presque 1 an jour pour jour, je pesais 240 livres. J'en suis maintenant à 130, et je m'entraîne 5 jours par semaine, j'ai de l'énergie à revendre. Une perte de poids de 110 livres en 12 mois, sans pilules miracles ou boissons magiques douteuses. Simplement de la bonne et vraie bouffe, et beaucoup de volonté! Je le dis tellement souvent aux gens qui me demandent «comment as-tu fait?»: la SIMPLICITÉ est la solution.

AVANT

APRÈS

AVANT

Annie Lemay

En 2016, je me suis fait enlever la vésicule biliaire, et suite à cette opération, j'ai commencé à avoir des problèmes au niveau de l'alimentation. J'engraissais à vue d'œil, mon estomac se gonflait après chaque repas, je dormais mal la nuit, je voulais dormir partout le jour. Le matin, lorsque je sortais du lit, j'avais la sensation d'être tellement pesante, je me sentais comme le bonhomme Pillsbury tout au long de la journée.

Une amie a commencé à mettre des photos de recettes sur Facebook, ça m'a intriguée de voir le titre de son album photo: «Perdre du poids en mangeant du gras». Pfff, ben voyons donc! Pis là, je me suis dit: «J'ai fait des régimes toute ma vie, pourquoi ne

APRÈS

pas essayer de changer mon alimentation complètement à l'opposé? On laisse tomber le calcul des calories, pis on focus sur le gras!»

Depuis que j'ai adopté l'alimentation cétogène, soit le 6 août 2018, j'ai remarqué des bienfaits assez rapidement… Le soir, je ne m'endors plus sur le divan à 17 h au retour du boulot ni à 19 h 30 (eh oui, je m'endormais sur le divan deux fois par jour!), je me lève le matin en me sentant comme neuve, je n'ai plus la sensation de lourdeur, mon estomac digère maintenant tout ce que je mange et j'ai perdu du poids, soit 26 livres à ce jour, et ça continue de descendre.

L'alimentation cétogène, pour moi, c'est pour la vie.

AVANT

APRÈS

Lucie DesRosiers et David Canuel

C'est après avoir entendu parler des bienfaits de cette alimentation en 2016 par ma cousine et son mari (qui avait subi une crise cardiaque) et avoir vu leur perte de poids ainsi que leur santé qui s'était rétablie que je me suis mise à faire beaucoup de recherches et à m'informer sur ses bienfaits tant pour la perte de poids que pour diverses maladies, telles que le cancer, le parkinson et l'Alzheimer. Mon mari et moi en avons discuté, puisqu'il était très sceptique de manger tant de gras : après tout, on nous avait inculqué depuis notre jeune âge que les gras étaient néfastes. Ensemble et d'un commun accord, c'est le 30 novembre 2016 que nous avons fait le grand saut.

Nous étions tous les deux en surplus de poids et prenions de la médication pour la haute pression, les ulcères d'estomac, le cholestérol, les maux de ventre, la ménopause et les douleurs dues à l'arthrose. Nous avons tous deux perdu nos parents suite à des cancers et à la maladie d'Alzheimer.

Après 2 ans de céto strict, j'ai perdu un total de 52 livres, mon mari 35, et nous ne prenons plus aucune médication pour la pression, le cholestérol ou l'estomac. Les allergies aux animaux ont disparu pour mon mari. De mon côté, ça a apporté plusieurs autres bienfaits qui ont joué sur mon bien-être dans ma vie.

Mariés pour le meilleur et pour le pire, mon mari et moi sommes en équipe dans cette alimentation et ce mode de vie, et nous ne voudrions pas revenir en arrière !

Krystel Cantara

Tout a commencé le 17 juin 2018, lors de mon essayage de robe de demoiselle d'honneur pour le mariage d'une de mes meilleures amies. J'avais accouché en février d'un mignon petit mousse de 7,6 livres, mais j'en avais pris 80... Pourtant, mon péché mignon enceinte... c'était les pommes ! C'était « santé » !

Bref, lors de l'essayage, je me suis regardée dans le miroir et je me suis mise à pleurer. Je broyais du noir, j'étais toujours épuisée et je ne m'aimais plus du tout ! Une comparse m'a indiqué que c'était normal d'avoir pris tout ce poids et que je n'allais jamais retrouver ma forme d'avant. Il n'en fallait pas plus pour que je veuille lui prouver le contraire !

J'avais entendu parler de l'alimentation cétogène sur une page Facebook pour mamans. Je me suis mise à lire sur le sujet. J'ai commencé le 18 juin, le lendemain de l'essayage, de façon plutôt libérale. Je me suis ensuite procuré le tome 1 de *Perdre du poids en mangeant du gras*, le *Code obésité*

et le *Guide complet du jeûne* du Dr Fung. J'ai dévoré chacun de ces livres et j'ai opté pour l'alimentation cétogène stricte à moins de 20 g par jour le 25 juin 2018.

Le jour du mariage de mon amie, j'étais plus mince que je ne l'avais jamais été. Plus important encore, j'avais retrouvé mon énergie et ma joie de vivre, malgré les nuits blanches passées avec mon petit bébé ! J'étais devenue soudainement une super maman bien dans sa peau !

Ce mode d'alimentation a complètement changé ma vie et me gardera en santé, j'en suis convaincue. Mon grand-père est diabétique de type 2 et ma grand-mère et mon arrière-grand-mère sont toutes deux décédées de la maladie d'Alzheimer. J'espère m'éviter ce sort en mangeant sainement et j'espère pouvoir faire profiter ma famille de mes connaissances à ce sujet.

AVANT

APRÈS

AVANT

APRÈS

Julie Portuguais

Je souffre de boulimie depuis mon adolescence et j'ai été diagnostiquée officiellement en 2005, à l'âge de 26 ans. Ma vie a donc toujours été une vie d'obsession alimentaire, de rages de nourriture et d'autodévalorisation. À cela s'ajoutaient évidemment la dépression et les idées suicidaires. Je me détestais tellement, je détestais mon manque de «contrôle alimentaire». Depuis le 28 avril 2018, j'ai pris la décision d'adopter l'alimentation cétogène, qui me semblait une alimentation naturelle et bonne pour la santé du corps et de l'esprit. En fait, j'ai commencé par diminuer mes glucides à 100 g par jour pendant environ 2 mois, pour ensuite diminuer à 20 à 30 g de glucides par jour.

Depuis, je me sens délivrée de ma boulimie... Plus aucune rage de sucre, plus aucune rage de nourriture, je mange à ma faim, je me sens libérée, je me sens forte et je commence même à m'aimer! Je me lève le matin et je peux ENFIN penser à autre chose qu'aux calories que je vais ingérer dans la journée. Pour moi, l'alimentation cétogène est une vraie délivrance, un vrai miracle inespéré dans ma vie. En prime, j'ai perdu 50 livres sans efforts et sans privation... En fait, le seul effort que j'ai fait a été celui de prendre la décision d'adopter ce mode d'alimentation et d'opérer un changement positif dans ma vie. Quel incroyable cadeau je me suis offert!

Ben Wagenmaker

J'ai commencé l'alimentation faible en glucides en février 2016, puis je suis devenu 100 % céto en août 2016. On m'a donné un diagnostic de diabète de type 2 à la fin janvier 2016, et cela fut l'élément déclencheur pour moi.

Ma santé allait de mal en pis depuis plusieurs années. J'avais du mal à gérer mon poids depuis l'enfance. J'avais essayé des régimes à maintes reprises, mais sans succès.

En 2006, à l'âge de 31 ans, j'ai commencé à souffrir de la goutte. Deux ans plus tard, j'avais un ulcère. En 2014, j'ai eu un diagnostic de stéatose hépatique (maladie du foie gras).

Entre 2012 et 2015, je faisais une bronchite au moins 2 fois par année et j'avais souvent des reflux gastriques. Je prenais un Zantac tous les soirs pour bien dormir.

En 2016, diagnostic de diabète de type 2 et d'hypercholestérolémie. Je prenais des médicaments chaque jour depuis des années pour la goutte, puis je me voyais finalement prendre d'autres médicaments

AVANT

tous les jours pour le reste de ma vie pour le diabète et le cholestérol. J'avais 41 ans, mais j'avais la santé d'un homme de 20 ans plus vieux.

Après beaucoup d'étude et de réflexion, j'ai décidé de faire des jeûnes intermittents, puis de commencer l'alimentation faible en glucides.

En 3 mois, mon taux de HbA1c (pour le diabète) est passé de 7,5 à 5,7, soit un taux «non-diabétique». En janvier 2017, une échographie de mon abdomen a révélé que mon foie était normal, donc plus de stéatose hépatique.

Aujourd'hui, me voilà avec 70 livres en moins, sans aucun des problèmes mentionnés plus haut. Je ne prends plus aucun médicament, sauf un Tylenol de temps en temps. Je mange ce que j'aime, et je n'ai pas besoin de compter des calories. Mon poids est stable depuis plus de 12 mois maintenant, et j'aime bouger.

J'ai 43 ans, mais j'ai la santé d'un homme de 20 ans plus jeune. La vie est belle.

APRÈS

AVANT

Mary Plante

Du plus loin que je me souvienne, j'ai toujours envié le corps mince des autres femmes. Je me disais que ça devait être bien de s'habiller dans des boutiques «normales», de chausser des bottes qui n'ont pas besoin d'être conçues pour les mollets larges… Je me disais même qu'elles devaient être plus heureuses, plus épanouies! J'avais tout faux.

APRÈS

J'ai toujours été ronde, de l'enfance à l'âge adulte. J'ai essayé plusieurs diètes qui me rendaient malheureuse à tout coup et que j'échouais lamentablement. Déçue de moi-même, j'ai continué de vivre avec ce corps qui ne me plaisait pas et je faisais fi d'une santé déclinante, soit l'apparition d'hypertension et un début de diabète et de cholestérol. En janvier 2018, j'ai entendu Josey Arsenault à la radio parler de l'alimentation cétogène. Je l'ai ensuite vue à la télévision à Denis Lévesque.

Je me suis dit «Bon, voilà, encore autre chose, une autre diète miracle!» Mais Josey a fait jaillir une étincelle en moi, une curiosité de me renseigner. Je me suis procuré le livre *Perdre du poids en mangeant du gras* et j'ai fait bien des recherches. Lorsque je me suis sentie outillée, vers la fin février 2018, j'ai foncé. Je dois dire aussi que mon fils Alexandre avait perdu 150 livres, et il a été une grande source d'inspiration pour moi!

L'alimentation cétogène a transformé ma vie! Je dis toujours que Josey m'a aidée à retrouver MA vie. Je ne prends plus de médication pour l'hypertension, et je n'ai plus aucun signe de diabète et de cholestérol! À ce jour, j'ai perdu 85 livres, j'ai de l'énergie à revendre et une motivation à tout casser. Je suis en train de gagner ma bataille et je suis heureuse!

Alexandre Fradet

Devenez ce que vous voulez être, soyez la personne que vous méritez d'être! Moi, j'ai décidé que j'en avais assez. Était-ce la première fois que je prenais cette décision? Non, mais rendu à 380 livres, à 23 ans… c'était inévitable et j'en avais assez! Faites-le pour vous, que pour vous. La seule personne qui poussera votre détermination au maximum et qui en sera fière, ce sera vous. Le regard et les commentaires des autres vous donneront des ailes et seront aussi très bénéfiques. Du moins, ce le fut dans mon cas. Laissez-vous le temps! Savourez chaque petite et grande victoire! Je n'ai pas réussi en 2 mois, mais en 1 an. J'ai perdu 120 livres en une année! À ce jour, presque 2 ans plus tard, j'ai 150 livres en moins et un corps qui commence à devenir… un corps! Soyez confiant! Foncez, faites-le pour vous! Et graissez-vous le bec!

AVANT

APRÈS

Vincent-Olivier St-Gelais

Mon témoignage est un message d'espoir pour toutes les personnes qui souhaitent améliorer leur santé.

Ayant un poids supérieur à 410 livres, un IMC de 63, une masse grasse de 50 % et étant atteint d'apnée du sommeil, la solution médicale suggérée afin de corriger mon obésité morbide fut la gastrectomie verticale.

AVANT

Me sentant démuni avec ce surplus de poids, j'ai choisi d'avoir recours à cette opération le 9 décembre 2015. Une perte de poids fulgurante s'en est suivie ; en effet, 14 mois plus tard, j'atteignais un poids de 165 livres, un IMC de 25 et une masse grasse de 17 %, en plus d'en avoir fini avec l'apnée du sommeil.

Bien que 40 % des personnes ayant subi ce type de chirurgie reprennent leur poids, j'ai pu maintenir le mien pendant les deux années qui ont suivi. Puis, l'impensable s'est produit : j'ai repris 30 livres en peu de temps. Comment était-il possible de reprendre du poids avec seulement un tiers d'estomac, moi qui croyais faire des choix santé ?

APRÈS

Ayant découvert le livre *Perdre du poids en mangeant du gras*, j'ai pris conscience de la possibilité de remplacer, comme principale source d'énergie, les glucides par les lipides. J'ai donc appliqué ce principe, puis j'ai rapidement retrouvé mon poids santé, le tout dans la satiété.

À partir de ce moment, j'ai réalisé que les trois semaines de diète préopératoire exigées pour mon opération, qui était une diète liquide stricte sans glucides, m'avaient permis, sans le savoir, d'atteindre l'état de cétose. Ce qui démontre que des 250 livres éliminées, plus de 170 étaient uniquement du gras.

L'alimentation riche en lipides, préconisant la consommation d'environ 5 % de glucides, permet au corps de se nourrir de ses réserves de graisse et apporte plusieurs bénéfices, dont celui de la perte de poids.

Au contraire, vivre d'une alimentation basée sur 65 % de glucides équivaut à consommer 12 jours de sucre en une seule journée. Cela m'a permis de répondre à mon questionnement : avec un tiers d'estomac, il est possible de consommer l'équivalent de quatre jours de sucre en une seule journée, avec comme résultante un gain de poids.

La chirurgie, sans changement alimentaire, est un outil inefficace, alors qu'apprendre à se nourrir en adoptant le mode de vie cétogène s'avère une véritable solution viable !

Index des recettes

126

63

111

Une réalisation de